L'attente était si longue...

Maura McGiveny

HARLEQUIN

*Cet ouvrage a été publié en langue anglaise
sous le titre :*

THE RIGHT TIME

Publié originellement par
Mills and Boon Limited, London, England

© 1986, Maura McGiveny
© 1987, traduction française : Edimail S.A.
48, avenue Victor-Hugo, Paris XVIe - Tél. 45.00.65.00.
ISBN 2-280-00435-6
ISSN 0182-3531

1

Les yeux de Danielle se perdirent sur le mur nu et blanc de la salle d'attente.

Regardée ainsi, à travers les vitres opaques d'un hôpital, au moment où le destin d'un être cher se jouait sur une table d'opération, sa vie lui apparut dans toute sa vanité, son incohérence. La culpabilité, la colère contre elle-même, l'abattement, la peine se la partageaient ; et, par-dessus tout, le goût âcre, terrible de l'amertume.

Pourquoi n'était-elle pas revenue plus **tôt** à la maison ? Pourquoi même était-elle partie quand les plus douloureux conflits restaient à vaincre, aplanir ? Non, elle avait fermé la porte, et aujourd'hui se dressait entre elle et les siens l'obscur barrage d'un trop lourd silence, d'une trop longue absence : les mots que l'on n'a pas prononcés, les gestes mort-nés. Que de non-dits, d'incompréhensions, de rancunes, si sa mère avait brusquement disparu sans que le hasard ou la providence leur laissât la chance de se retrouver.

— Tiens, ma Dani...

Souriant bravement sur la table roulante qui l'emmenait vers la salle d'opération, Mme Williams avait ôté l'alliance de son annulaire gauche pour la glisser au doigt de sa fille.

— Porte-la. Garde-la, au cas où je ne reviendrais pas.

A contempler cet anneau d'or, si brillant après tant d'années, Danielle avait pâli d'émotion.

— Maman... Une opération à cœur ouvert n'est pas plus dangereuse que bien d'autres, avait-elle dit pour tenter de rassurer la malade. Le chirurgien ne prévoit aucune complication. Tu seras bientôt sur pieds.

Les allées et venues dans les couloirs et la salle d'attente de l'hôpital le plus réputé de Perth laissaient la jeune femme indifférente. Les bras serrés autour d'elle, arpentant nerveusement le froid carrelage, elle ne voyait, n'entendait que sa mère.

— Je dois subir une petite intervention chirurgicale la semaine prochaine, ma chérie. Viendras-tu?

Elle se souvenait de cette voix légère et lointaine, caractéristique des appels longues distances d'un bout à l'autre du continent australien.

Mille prétextes, excuses lui étaient d'abord venus à l'esprit pour refuser. Finalement, — manque de courage ou manque de lâcheté? — elle n'avait pu dire non. Elle devait retourner dans sa ville natale, le devoir le lui dictait. Il en avait toujours été ainsi...

Avec une troublante acuité l'assaillirent des échos d'enfance.

— Ton frère a du mal à faire sa rédaction, veux-tu l'aider?... Ta sœur souhaiterait aller danser avec Jack ce soir, mais elle a oublié qu'elle s'était engagée auprès de Mme Radnor à garder ses deux enfants. Tu iras à sa place, cela ne t'ennuie pas trop?... Ma chérie, le chien de M. Evans est malade et il n'a pas le temps de l'emmener chez le vétérinaire. Je lui ai assuré que tu te ferais une joie de lui rendre ce petit service...

Que Danielle eût des désirs ou des projets bien à elle, on ne s'en était guère soucié. Aînée de trois enfants, elle se pliait avec autant de bonne grâce que de compétence aux tâches qui lui incombaient. Les siens comme de parfaits inconnus pouvaient compter sur elle. « Danielle s'en chargera pour vous... » était l'expression la plus fréquente dans la bouche de sa mère. Toute son adolescence, Danielle avait été là où il fallait, quand il le fallait.

Jusqu'à Ben Harper.

« N'y pense pas, se dit-elle. Maman avait raison. Notre histoire aurait été un échec. Il a épousé Libby si vite, tout de suite après... »

Sa gorge se noua, affleurèrent à ses paupières des larmes qu'elle ravala avec une sorte de dégoût d'elle-même. Le moment était mal choisi pour songer à Ben. Qu'elle reste plantée là à pleurer comme une idiote, et nul n'ignorerait plus qu'elle n'avait pas su gagner, s'éloigner des eaux troubles du désespoir !

Avec effort, elle chassa les souvenirs qui cognaient comme des forcenés à la porte de son cœur. Elle était là car sa mère avait besoin d'elle. Rien d'autre.

— Café, Dani ?

Un peu hagarde, elle contempla le gobelet de carton que lui tendait sa sœur.

— Merci, Renée.

Elle n'avait aucune envie de café ; elle le prit cependant et l'avala sans plaisir.

La jolie bouche de Renée esquissa un sourire sans joie ; elle venait de reconnaître, au doigt de Danielle l'alliance maternelle.

— Tu t'es encore laissé prendre au piège.

— Quel piège ?

Elle posait sur sa petite sœur des yeux étonnés. Elle la regardait réellement pour la première fois depuis sa descente de l'avion de Sydney la veille au soir.

Agée de vingt-trois ans, Renée était de deux ans sa

cadette. Elles avaient en commun une même distinction de traits et d'expression, de lourds cheveux bruns très sombres et de grands yeux vert clair. Avec sa rondeur joviale, Renée affichait sans ostentation les formes épanouies d'une épouse et d'une mère comblée. Mariée à Jack McLeod, elle avait eu avec lui deux charmants garçonnets. Près d'elle, Danielle apparaissait d'une minceur qui confinait à la maigreur. Et quelque chose de sauvage, de perdu dans son regard, hurlait sa solitude.

Emue par l'étonnement évident de sa sœur, Renée posa une main affectueuse sur son épaule.

— Maman a toujours su exactement de quelle corde il fallait jouer avec toi pour que tu lui obéisses au doigt et à l'œil, non ? Jusqu'à te confier son alliance en envisageant un non-retour... Tu ne trouves pas étrange qu'elle ne l'ait pas plutôt donnée à papa ?

Elle n'attendit pas la réponse de Danielle.

— Cela porte un nom : c'est du chantage affectif. T'avoir enfin à portée de main après six ans ! Elle veut te culpabiliser. Son plan marche à merveille : tu es là à faire les cent pas, à te torturer, à te demander comment tu as pu avoir la cruauté de rester si longtemps loin de ta pauvre maman quand elle avait besoin de toi.

Nulle ironie, nulle méchanceté dans le ton de Renée.

— Je ne prétends pas que l'opération soit bénigne. J'étais là quand le médecin lui a expliqué qu'elle n'avait pas le choix. Mais sache une chose : maman fera tout pour te garder près d'elle. Elle ne t'a pas encore pardonné ton départ.

— Je devais m'en aller, murmura Danielle d'une toute petite voix.

— Je sais, ma belle. C'était inévitable. Je me demande encore pourquoi tu n'es pas partie plus tôt.

— Oh ! Renée, peut-être aurais-je dû essayer d'être davantage la fille qu'elle souhaitait.

— Non, être toi ! s'exclama Renée en l'étreignant. Qui aurait le front de t'en accuser ? Maman a tenté de faire de toi son double, elle se trompait. Le comprends-tu enfin après six ans d'exil volontaire ?

— Elle croyait agir pour le mieux, rétorqua doucement Danielle. Mais je me suis montrée rétive. Tu sais, poursuivit-elle en haussant le ton, ma vie à Sydney n'a rien d'un exil. J'ai rencontré une foule de gens et j'ai beaucoup de nouveaux amis.

— Bien sûr, et les poules ont des dents ! s'exclama Renée avec une soudaine impatience. Qui cherches-tu à tromper, Dani ? Maman m'a montré tes lettres. Ta désinvolture apparente l'a peut-être abusée, mais pas moi. Entre les lignes, je lisais ton désespoir, ta solitude. Tu mourais d'envie de revenir, n'est-ce pas ? Et tu n'osais pas à cause de Ben Harper.

— Je t'en prie, Renée.

Furtivement elle observa les alentours. Apparemment, personne ne les avait entendues. Face à la fenêtre, immobile, leur père jouait nerveusement avec un trousseau de clefs au fond de sa poche. Un peu plus loin, assis sur une banquette de moleskine, leur frère Tom feuilletait un magazine, tirant sur sa pipe depuis longtemps éteinte. Près de lui, son épouse Josie tricotait un châle aux couleurs affreusement criardes. Parmi les autres familles de malades opérés, nul ne faisait attention à leur conversation.

— Je refuse de parler de Ben.

— Il le faudra pourtant un jour, répliqua Renée qui s'était radoucie. Maman souhaite ton retour. Vous parlerez forcément de ce qui vous a séparées.

— Je n'ai aucune intention de rester. Je repars pour Sydney dès qu'elle ira mieux.

— Toujours la fuite en avant. Tu ne résoudras rien de cette façon, tu sais. Tu repousses seulement une confrontation inévitable. Avec toi-même. Avec maman. Enfin, Dani, tu aimais cet homme. Maman s'est interposée, a mis un terme à vos relations. Tu l'as quitté sans aucune explication. Se guérit-on d'une pareille blessure du jour au lendemain ?

— Oui, assura Dani en proférant le plus énorme mensonge de son existence. J'en ai fini depuis long-temps avec Ben Harper.

Renée eut une moue sceptique.

— Alors, expose-moi les mérites comparés de la vie d'artiste à Sydney et à Perth. La vache enragée n'y a pas le même goût ? Non, Dani, tu as voulu mettre un continent entier entre Ben et toi.

Dani préféra esquiver l'affirmation troublante de sa sœur.

— Je ne meurs pas de faim à Sydney, tu te trompes. J'ai fait plein de petits jobs amusants entre la vente de deux toiles. Tu n'imagines pas, ajouta-t-elle avec un enthousiasme laborieux, le charme grandiose de Syd-ney. C'est une ville tellement vivante, tonifiante !

— Inutile de me vanter l'article, je ne suis pas acheteur, fit Renée en lui prenant les mains. Raconte ce que tu voudras. Je sais seulement que tu es partie le plus loin possible de Ben.

Se détournant, Danielle s'assit dans un fauteuil. Renée avait raison. Et il ne fallait pas moins que l'étourdissante et épuisante activité d'une métropole pour lui permettre d'oublier, quelques instants par jour, sa folie et sa douleur. L'attention de sa sœur avait été détournée par son frère et son père qui échan-geaient quelques mots. Elle se mordit la lèvre presque jusqu'au sang. Oh ! Pourquoi était-elle si jeune quand Ben était arrivé dans sa vie ? Plus âgée, plus sûre d'elle,

elle n'aurait pas plié sous le joug maternel. Voilà, Ben et elle s'étaient manqués, de peu et pour toujours. Mme Williams s'était trompée en prétendant qu'une fille si jeune ignorait ce qu'était l'amour. Elle avait aimé Ben. Elle l'aimait toujours.

Ben. Ben. Ben! Sa mémoire scandait ce nom, comme le tocsin de ce qui ne serait plus. Il était si beau, grand et souriant. Et puis il y avait ce charme indéfinissable, immense, irradiant.

Lycéenne parmi d'autres, elle l'avait vu pour la première fois le jour où il était venu rendre visite à son frère, John, professeur de mathématiques. Jusqu'alors, John, aux yeux de son élève rêveuse, avait été le plus séduisant, le plus bel homme qu'elle ait rencontré. Il était d'ailleurs la coqueluche de toutes celles qui avaient le privilège d'assister à ses cours.

Ben était venu.

Un regard avait suffi pour bouleverser le monde de Danielle. Cet homme-là, il lui avait semblé le reconnaître, comme s'ils étaient destinés l'un à l'autre de toute l'éternité. Le beau John Harper s'effaçait soudain. L'éclat de tous les hommes du monde avait pâli devant le soleil.

Un sourire de Ben à Danielle et l'univers avait cessé d'exister. Le cœur battant, le sang en feu, elle ne l'avait plus quitté des yeux.

Pourquoi l'avait-il élue, elle, au milieu de toutes ces adolescentes éclatantes du charme de leur jeunesse? Le mystère ne serait jamais éclairci. A côté de certaines de ses camarades, Danielle se faisait l'effet d'une pâle fillette, maigre et un peu gauche. Mais c'était elle, seulement elle, que Ben avait vue, regardée, à qui il avait souri. Elle! A revivre cet instant merveilleux et unique, elle se disait qu'elle aurait dû en mourir, pour que cette seconde reste à jamais le couronnement, le but d'une vie, de sa vie.

Elle se souvenait encore de son euphorie lorsqu'il l'avait invitée à sortir avec elle. Où s'étaient-ils rendus ? Peu importait. De ce jour, sa seule route avait été celle du cœur de Ben, son seul paysage celui de ses yeux extraordinaires aux reflets d'ambre, métal en fusion, or pur, brillant de l'éclat des plus belles promesses d'amour. Il avait pris son visage entre ses mains, avait tendrement baisé ses lèvres tremblantes pour lui souhaiter bonne nuit. Paralysée de bonheur, elle n'avait pu esquisser un geste, murmurer une syllabe. Alors, Ben l'avait prise dans ses bras, étreinte comme jamais plus un homme ne saurait le faire. Le cœur de Danielle explosait de la joie de battre enfin entièrement pour un être. Enfance et adolescence se perdaient dans une nuit que chassait un soleil levant inespéré. Elle aimait.

Dire ce qu'avaient été ces jours idylliques ne saurait en restituer même un pâle reflet. Ben était devenu sa vie, son cœur, son esprit, son âme, l'autre moitié d'elle-même, une moitié vitale, essentielle, qui l'animait tout entière. L'existence s'était faite enchantement de chaque instant, tout était possible sur la route lumineuse de leur avenir commun. Ben avait de grands projets. Le peu qu'il lui en confiait la laissait admirative, éperdue, confiante, inquiète parfois aussi face à leur démesure. Ben n'était pas pauvre à proprement parler mais il ne jouissait pas des avantages qui permettent de démarrer brillamment une carrière. Ce simple détail ne l'arrêtait pas. Danielle voulait à toutes forces croire en lui. Ben Harper l'aimait. Il lui offrirait la lune, celle des amants éternels.

Mais Mme Williams veillait, en mère soucieuse autant que pragmatique.

— Ce n'est pas un homme pour toi, décréta-t-elle en comprenant l'amour fou de sa fille.

— Je l'aime, maman.

— Bien sûr, et vous vous contenterez d'amour et d'eau fraîche !

— Nous nous arrangerons.

— Il est pauvre. Veux-tu finir comme sa mère, ridée et vieillie avant l'âge ? Avec pour tout trésor au monde des bambins sans avenir ?

— Tu ne connais pas sa famille, maman. Si seulement, tu faisais un pas vers eux, tu découvrirais combien ils sont aimables et charmants.

La bouche de sa mère s'était incurvée en une moue dédaigneuse.

— Je souhaite mieux à ma fille qu'un homme sans le sou qui multipliera avec elle les bouches à nourrir.

Le regard sordide de Mme Williams sur l'avenir des jeunes gens n'avait pas su altérer la vision romantique et paradisiaque de Danielle. Etre l'épouse aimée de Ben, avoir des enfants avec lui représentait le summum du bonheur. Et, peut-être pour mieux fausser mentalement compagnie à sa mère, elle se plaisait justement à imaginer une kyrielle de bambins aux cheveux noirs et aux yeux d'or comme leur père, douilletement nichés dans une aura d'amour. Vivre cela eût été tout.

Mais voilà, ce rêve avait vu le jour six ans plus tôt et l'épreuve du temps le marquait chaque jour davantage du sceau de l'impossible. Parce qu'une adolescente n'avait su tenir tête à sa mère trop autoritaire...

Un long sanglot monta dans la gorge de Danielle. Cri sourd, ininterrompu, qui depuis six ans la déchirait. Avec un effort de volonté, elle s'efforça de penser à autre chose. Ben était loin, perdu ; il appartenait au passé. Rien de tel ne revivrait.

Sans doute méprisait-il la jeune fille inconséquente

qui, un jour, lui avait tourné le dos sans crier gare, sans daigner s'expliquer. Quelques mots, pauvres et menteurs, avaient suffi à tout briser : « C'est terminé, Ben, fini. Je ne t'aime plus... »

La porte de la salle d'attente s'ouvrit soudain pour livrer passage au chirurgien qui marcha vers les Williams.

Il portait encore sa tenue opératoire. Tout professionnel qu'il fût, son sourire ne manquait pourtant pas d'une sincère affabilité.

— Tout s'est parfaitement déroulé, fit-il d'un ton qui sous-entendait un discret « Je-vous-l'avais-bien-dit ». Elle s'en sortira à merveille et je crois que son petit problème est définitivement résolu. S'il devait y avoir quelques troubles post opératoires, nous nous en rendrions compte dans les jours à venir.

Avec la modestie des grands patrons, il accepta les remerciements émus des membres de la famille de sa patiente, puis il posa une main chaleureuse sur l'épaule de M. Williams.

— Vous devriez emmener tout votre petit monde se restaurer. Elle va encore rester un peu au bloc, le temps de se réveiller. D'ici deux heures environ, nous la reconduirons dans sa chambre et vous pourrez venir l'y voir.

— Très bien, soupira M. Williams, un peu tendu par les heures d'attente. Merci.

— J'enverrai quelqu'un vous prévenir dès qu'elle reprendra conscience. A bientôt.

Dès qu'il eut tourné le dos, la joie collective des Williams se mua en embrassades successives. Toutes les craintes tenues scrupuleusement secrètes par chacun explosaient à présent qu'elles avaient fui, entre le rire et les larmes.

— Elle va bien ! Elle est guérie !

— J'ai eu tellement peur.

— Je savais bien qu'il n'y aurait pas de problème.

— Maman a toujours été une battante !

Danielle ne participa pas longtemps à ces effusions. Une étrange et poignante douleur, celle de sa solitude, lui serrait le cœur. Une solitude qui avait commencé six ans plus tôt lorsqu'elle avait quitté Ben. Vide que ni l'amour familial ni aucune amitié n'auraient su combler, et qui croissait étrangement avec le temps.

Tous ces gens autour d'elle… C'était sa famille. Et cependant, elle était si loin d'eux, tellement… séparée ! Le fil qui la reliait à eux était cassé, le chemin effacé irrémédiablement, sans espoir de retour.

Son père, Tom et Josie avaient déjà quitté la salle d'attente, lorsqu'elle s'entendit rappeler doucement à l'ordre par Renée :

— On rêvasse, petite sœur ?

Confuse, elle se tourna vers sa cadette, quittant des yeux la porte battante. Ce qu'elle aperçut soudain sur le visage de Renée la consterna : toute couleur avait déserté les joues rondes, disparu le joli et avenant sourire. Automatiquement, elle suivit son regard effaré.

Elle aussi pâlit, elle aussi fut pétrifiée par la surprise.

Dans le couloir qu'on apercevait derrière la porte vitrée, marchait Ben Harper qui venait vers elles.

Dans un éclat de folie pure, Danielle se crut la proie d'une vision, ou alors une magicienne qui par le seul pouvoir de l'esprit sait faire apparaître l'objet des pensées les plus secrètes.

Bien qu'il fût encore loin, elle comprit qu'il ne l'avait pas vue. Il semblait tendu, soucieux, inquiet. Mais aucun doute possible : il s'agissait de Ben Harper, en chair et en os.

Dès qu'il entra dans la salle d'attente, celle-ci parut

s'amenuiser, devenir étouffante. Du plus loin qu'elle s'en souvienne, Danielle l'avait toujours vu ainsi. Sa seule présence, son charisme métamorphosait les lieux où il passait, semblait transformer les êtres et les choses qu'il touchait, même d'un regard.

Il demeurait beau à couper le souffle, séduisant, puissant comme il n'avait jamais cessé d'être dans le cœur de Danielle. Et pourtant, l'avoir vivant en face d'elle donnait soudain à son souvenir un éclat plus aigu, blessant comme le tranchant d'une lame.

A trente-quatre ans, il portait les cheveux plus longs qu'autrefois. Quelques fils d'argent prématurés striaient élégamment sa chevelure d'un noir de jais. Sur sa peau hâlée, de profondes pattes d'oie plus claires au coin des yeux trahissaient des journées passées au grand air, des milliers de sourires. Il avait encore au-dessus du sourcil droit le grain de beauté que Danielle n'avait jamais oublié. Bien sûr, le contraire eut été étonnant, mais ces détails prennent tant d'importance, prodiguent de telles émotions quand des années d'absence ont séparé deux êtres... Son nez restait droit, aquilin, ses pommettes hautes, sa bouche sensuelle, généreuse, encadrée par deux rides d'expression rieuse.

Distraitement, ses yeux firent le tour de la salle d'attente avant de se fixer sur Danielle. Il eut un tressaillement puis se figea. La flamme de la reconnaissance s'alluma dans ses prunelles et il finit par sourire.

Danielle avait tremblé, elle aussi, sous le choc étrangement familier malgré les années au cours desquelles elle avait cessé de l'éprouver. Un fourmillement le long de la colonne vertébrale, une douce brûlure à la nuque, les membres soudain liquéfiés, voilà ce qu'elle retrouvait, intact, subjugant.

Depuis toujours, elle s'était imaginé que s'il lui était donné de revoir Ben, elle lirait dans ses yeux une impitoyable condamnation, un verdict sans appel. Elle s'était trompée. Il la contemplait avec un sourire doux amer. Prise de vertige, elle pensa que cela recommençait, comme la première fois, exactement.

Tout vacilla autour d'elle, instant sacré, furtif et rare, où elle aurait pu croire que le temps n'existait pas, que rien au monde n'était irrévocable. Les yeux d'or, à l'infinie profondeur, brûlaient pour elle de la même intensité qu'autrefois. Ils l'attiraient, lui parlaient, flammes d'ambre dansantes qui ranimaient soudain son cœur inerte, son sang figé depuis six ans.

Elle fut prise du désir fou, absurde, de courir vers Ben et de se jeter dans ses bras, pour le supplier de lui pardonner.

De nouveau, elle connaîtrait l'ivresse de ses baisers, la chaleur de son étreinte, la fièvre de sa bouche, le mystère de ses caresses, les mots du désir à peine murmurés mais qui claquent comme un coup de tonnerre.

De nouveau...

Elle ne bougeait pas.

Elle respirait à peine.

Le monde réel reprit ses droits. Ils étaient dans la salle d'attente d'un hôpital, entourés de plusieurs témoins indifférents, un lieu où l'on ne court pas se jeter dans les bras d'un amour perdu, un lieu où l'on ne soigne que les maux du corps, non ceux de l'âme, non les plaies du regret.

Le silence entre eux menaçait de ne jamais se rompre.

Danielle avait la gorge brûlante, la bouche sèche. Elle n'aurait su prononcer une syllabe. Toutes ses émotions laborieusement endiguées depuis six ans menaçaient de rompre les barrages de la raison et de la bienséance. Les ravaler, les étouffer représentait un supplice toujours recommencé.

Elle n'avait plus le droit de l'aimer, plus le droit de prétendre à son amour. Il était marié. Il appartenait à une autre femme, un autre monde.

— Ben ! murmura-t-elle enfin.

Dans ce simple nom, toutes ses angoisses, ses doutes, ses remords, le monde entier. Ben le comprit. Il continuait à regarder la jeune femme, une infinie tristesse au fond des yeux, comme si lui aussi se souvenait de tout ce qu'ils avaient vécu ensemble, de tout ce qui n'existait plus entre eux.

— Dani, souffla-t-il à son tour.

Comme autrefois, sa voix avait la douceur du velours.

— Que fais-tu ici ? Je croyais que tu vivais à Sydney.

— En effet.

Elle toussa pour s'éclaircir la gorge. Sa respiration demeurait trop rapide, comme si elle étouffait.

— Ma mère s'est fait opérer aujourd'hui. Je suis revenue pour lui tenir compagnie.

— Oh, fit-il d'une voix soudain plus guindée. Elle va bien, j'espère.

— Oui.

Connaissant la profonde inimitié entre Ben et sa mère, elle ne put s'empêcher d'admirer son effort de politesse.

— Le chirurgien vient de nous avertir que tout s'était passé au mieux.

Ben sourit de nouveau, alors seulement elle remarqua les détails auxquels elle n'avait jusqu'alors prêté aucune attention : d'abord son costume bleu marine parfaitement coupé, sur mesures de toute évidence. Sa chemise blanche était de la plus belle qualité, tout comme sa cravate jaune d'or, discrètement striée de bleu. Bref, il émanait de l'ensemble de sa tenue une impression d'aisance, de solide richesse, signes extérieurs qu'il arborait sans ostentation, mauvais goût ou malaise, mais plutôt comme s'il n'en avait jamais été autrement.

Danielle se trouva « miteuse » face à lui. Son vieux jean délavé et sa blouse de coton rose pâle avaient sans conteste connu des jours plus fastes. Ses chaussures de cuir auraient eu besoin d'un coup de cirage et de brosse. Quant à ses longs cheveux noirs, ils retombaient sur ses épaules sans coupe, sans forme.

Dans le regard du brillant et élégant homme d'affaires qu'elle retrouvait, elle crut lire un honteux et hautain commentaire : « cette fille n'a aucune classe ».

A ses côtés, Renée devina sans doute son terrible malaise, autant que les émotions par trop chaotiques qui l'empêchaient de réagir, car elle décida soudain de prendre la situation en main :

— Ben Harper ! Quel plaisir de vous revoir après tant d'années ! s'exclama-t-elle avec une joyeuse légèreté. Comment se fait-il que nous nous rencontrions à l'hôpital ?

Il eut visiblement du mal à détacher les yeux de Danielle pour regarder son interlocutrice. Soudain, ses traits se tendirent douloureusement, comme s'il se souvenait brusquement du lieu où il se trouvait et de la raison de sa venue.

— Libby, répondit-il doucement. Elle n'aurait dû accoucher que dans un mois mais les contractions ont commencé.

— Je suis désolée, balbutia Renée, n'ignorant pas combien pouvait être critique un huitième mois de grossesse. Je souhaite que tout se passe bien pour elle et l'enfant.

Ben hocha imperceptiblement la tête. La triste

inquiétude qui voilait son regard émut Danielle jusqu'aux larmes. Instinctivement, elle posa la main sur son bras.

— On ne t'a pas autorisé à rester près d'elle ?

Avec un signe de dénégation, il couvrit de la sienne la main de la jeune femme.

— Oh ! Dani, je me sens tellement inutile et impuissant !

Si profonde était son angoisse ainsi exprimée que Danielle frissonna. Que dire, que proposer pour le distraire de sa détresse ? Rien. Les curieuses circonstances de leurs retrouvailles rendaient la situation plus délicate encore.

Elle imaginait sans peine que toutes les pensées de Ben étaient tournées vers son épouse ; elle ne faisait que l'en distraire contre son gré. Partagée entre la certitude qu'il lui fallait discrètement prendre congé et le désir de rester près de lui pour lui tenir compagnie dans ce moment difficile, elle fut incapable de choisir.

Renée en décida à sa place.

— Nous sommes à la cafétéria de l'hôpital, Dani. Je préviens papa que tu restes un moment auprès de Ben.

Danielle acquiesça. Déjà, Ben lui prenait gentiment la main et l'entraînait vers une banquette de moleskine située sous l'une des fenêtres. Ils s'y installèrent côte à côte.

En six ans, Dieu sait si elle avait imaginé ce qu'ils se diraient s'il leur était donné de se revoir. Et devant la situation réelle, elle se retrouvait incapable de prononcer un mot !

Il n'était pas possible de lui poser les graves questions qui lui brûlaient les lèvres, ou de fournir enfin l'explication douloureuse qu'elle regrettait tellement d'avoir tue autrefois.

Tout ce qui lui venait à l'esprit l'aurait fait mourir de

20

ridicule et de honte. Lui avouer qu'elle l'aimait encore, qu'elle n'avait jamais cessé de l'aimer, que sa vie était vide, fichue sans lui, eût été des plus inconvenants... Et pourtant aucune autre parole sensée ou importante ne lui venait aux lèvres.

Le dos appuyé au dossier de la banquette, Ben regardait droit devant lui, dans le vide, très pâle, les traits tendus. Sa main broyait celle de la jeune femme.

A son annulaire, Danielle sentait l'alliance de sa mère lui brûler un peu la peau ; Ben ne semblait pas se douter qu'il lui faisait mal à cause de cet anneau, aussi ne dit-elle rien, se contentant de goûter cet instant où, assise près de lui, elle pouvait espérer lui apporter un semblant de réconfort.

Le temps s'étirait lentement. Ils n'échangèrent pas un mot. La simple pression de leurs mains mêlées en disait plus.

Un pas pressé se fit entendre dans le hall. Ben se redressa et marcha immédiatement à la rencontre de l'obstétricien, encore vêtu de sa tenue vert pâle. Déformés par un rictus qui se voulait sourire, ses traits n'exprimaient guère qu'une immense lassitude.

— Mes félicitations, Ben. Vous avez un garçon. Nous l'avons mis en couveuse mais rien d'inquiétant ne semble s'annoncer.

— Libby ? questionna Ben d'une voix rauque, inconscient de n'avoir pas lâché la main de Danielle.

— Elle a frôlé le pire, cela a été très dur, mais elle n'a pas faibli. Elle vous demande.

Les épaules de Ben s'affaissèrent sous le coup d'un immense soulagement. Dans un état second, il suivit le médecin hors de la salle d'attente.

Demeurée seule, Danielle poussa un profond soupir. L'oubli de Ben, qui ne lui avait pas dit au revoir, ne lui avait pas même jeté un regard, ne la blessait pas. Elle le comprenait. Ironique et vengeur, le sort lui rendait ce qui lui était dû.

Dans une sorte d'étrange dédoublement, elle parvenait à se réjouir de l'évidente réussite de Ben. Elle l'avait suffisamment connu et estimé pour savoir qu'il la méritait.

Songeuse, elle jeta un œil autour d'elle. Elle était seule à présent dans la grande salle d'attente. Vide et impersonnel lui apparut ce décor, image même de sa propre existence depuis six ans. Sydney ne l'avait pas adoptée, n'était jamais devenue sa ville, malgré ses efforts. De retour à Perth, à revoir Ben, elle comprit que là non plus elle n'était plus chez elle. Elle n'avait plus ni lieu ni être où s'inscrire, se reconnaître.

2

L'état de Danielle ne cessa de fluctuer au cours des trois semaines qui suivirent l'opération de sa mère.

A l'issue de la première semaine, elle cessa de s'attendre à chaque seconde à croiser Ben au détour d'un couloir. Si son épouse était encore hospitalisée, les horaires de visite différaient certainement entre le service maternité et celui de cardiologie. Ni par hasard ni par dessein, elle ne le revit.

Si elle avait espéré que Ben souhaite la revoir en toute amitié, elle dut apprendre à rire de sa naïveté. Quelques instants ensemble avaient suffi pour les séparer de nouveau : le temps avait passé, ils n'appartenaient plus au même monde. De toute évidence, Ben ne désirait en aucune façon parachever leurs retrouvailles de hasard.

Elle n'aurait su dire si elle s'en trouvait blessée ou soulagée.

La deuxième semaine, elle se surprit à passer chaque jour par la pouponnière de l'hôpital. Après s'être assurée que nul ne l'observait, elle collait son nez à la longue vitre qui séparait le couloir de la salle où vagissaient les nouveaux-nés. Cette étrange vision de l'humanité de demain l'émouvait inexplicablement. Quel destin grandiose ou pitoyable attendait ces petits êtres à l'aube de la vie ? L'un d'entre eux obtiendrait-il un jour le Prix Nobel de la Paix ? Un autre deviendrait-il un grand homme d'état ? Celui-là, encore, jouirait-il modestement d'une vie paisible et sans histoire ? Quels drames attendaient cet autre ? Tout était possible, le pire et le meilleur.

Elle n'eut aucun mal à identifier le fils de Ben : il était le seul en couveuse. Un toupet de cheveux soyeux et bruns couronnait son crâne allongé. Il agitait souvent ses petits membres potelés comme pour supplier qu'on le sortît de sa boîte de verre, et pleurait. Sa cage thoracique se soulevait alors à une vitesse étonnante, il hoquetait douloureusement. Une gentille infirmière venait le remettre sur le ventre, lui caresser le dos en lui parlant doucement comme l'aurait fait une mère aimante. Cette scène bouleversait toujours Danielle. Combien de fois avait-elle rêvé de prodiguer ces mêmes tendresses, ces mêmes gestes, ces mêmes mots d'amour à peine murmurés, à un enfant qui aurait été le sien — et celui de Ben ? Cette rêverie si simple et pourtant impossible se prolongeait dans mille détails qui auraient suffi à son bonheur quotidien : une odeur de talc ou de lait pour bébé, la pression d'une petite main se refermant sur un doigt, le premier rire, le hurlement strident à l'heure où il faut crier famine...

A la fin de la troisième semaine, Danielle décida fermement de cesser de se torturer. La vie ne s'effaçait pas pour recommencer vierge et illimitée. Jamais ne reviendrait le temps où Ben était sien, où elle était sienne. L'homme qu'il avait été n'existait plus. Elle l'aimait encore mais il lui fallait admettre à toutes forces qu'il avait changé. Elle devait l'oublier, oublier le passé. Ce fils qu'elle venait observer en cachette couronnait leur séparation pour toujours. A présent, il fallait ouvrir la porte, pour que le vent chasse les amours mortes, garder des souvenirs, impérissables peut-être, mais non plus vivre d'eux.

Renée se trouvait au chevet de leur mère, un clair matin de juin, quand Danielle arriva. Trois vraies semaines de repos forcé et surveillé avaient suffi à rendre sa bonne santé à Mme Williams. Sa peau avait repris les couleurs de ceux qui se portent bien. Assise dans son lit, elle avait autour des épaules le châle aux couleurs criardes que Janet lui avait gentiment tricoté. On avait lavé et mis en forme ses courts cheveux poivre et sel qui formaient un agréable halo autour de son visage un peu amaigri.

Quand Danielle se montra à la porte de la chambre, le silence se fit soudain.

— Hello ! s'exclama gaiement la jeune femme. Aurais-je interrompu une conversation privée ?

Renée piqua du nez, confuse. Leur mère s'empressa de répondre pour se justifier.

— Pour ne rien te cacher, ma chérie, nous parlions de toi.

— A voir votre air coupable, je m'en serais doutée, rétorqua-t-elle assez mal à l'aise.

— Le médecin vient d'annoncer à maman qu'elle pouvait rentrer à la maison dès aujourd'hui, expliqua Renée, rougissante, et nous nous demandions si à ce propos si... si tu... Enfin, comment allions-nous tenter de te convaincre de ne pas retourner à Sydney ?

Danielle ne put retenir un sourire.

— Vous vous compliquez la vie à loisir. Pourquoi ne pas m'en parler directement ?

La simplicité de sa réaction laissa mère et fille pantoises. Mme Williams fut la première à subodorer ce que cachait le calme de son aînée.

— Tu veux dire... ? Tu restes ?

— Oui, maman.

L'expression de sa mère, incrédule autant qu'heureuse, la fit rire. Elle s'assit au bord du lit et se laissa chaleureusement étreindre par les bras maternels.

— Maintenant que je suis revenue, je me rends compte combien vous m'avez manqué, tous. Alors, poursuivit-elle en pressant les mains de sa mère et en lui dédiant son plus beau sourire, si tu veux bien accepter le retour de l'enfant prodigue, j'aimerais revenir à la maison.

— Oh! Ma Dani! C'est ce que j'ai toujours souhaité!

Les yeux de Mme Williams s'emplirent de larmes qu'elle s'efforça de retenir, pour adopter une attitude plus grave et digne.

— Je sais que tout n'allait pas pour le mieux entre nous quand tu es partie. Tu m'en voulais d'être intervenue dans ta vie, mais crois-moi, j'ai agi pour le mieux à ton égard. Je ne souhaitais que ton bonheur et la sérénité d'une existence sans problème pour toi.

— Je sais, maman.

En prenant la décision de rester dans sa ville natale, Danielle n'ignorait pas qu'il lui faudrait supporter ce genre d'affirmations qui la blessaient encore, rouvrant une plaie toujours vive. Mais elle avait passé l'âge des rancœurs. Elle s'efforça de chasser de son esprit l'image de Ben et esquissa un sourire mutin pour s'adresser de nouveau à sa mère.

— Je te remercie vivement pour tous les beaux médecins célibataires que tu as semé sur mon passage ces jours-ci, mais, je t'en prie, arrête. Je reviens vivre à la maison si tu me promets solennellement de ne pas chercher à me caser à tout prix.

— D'accord, j'essaierai, répondit Mme Williams, en se mordant la lèvre comme une petite fille prise en faute.

Danielle fronça légèrement les sourcils. Jamais elle n'avait vu sa mère si conciliante, si humble.

— Dis-moi seulement, Dani, reprenait-elle en arrangeant distraitement le châle sur ses épaules, n'as-tu jamais songé à te marier, à fonder ta propre famille ?

Sa fille la fixa droit dans les yeux, sans tendresse ni rancœur particulières.

— Si, autrefois, avec un homme qui s'appelait Ben Harper. Aujourd'hui, je ne me poserais la question que si j'en rencontrais un qui le vaille.

La pâleur de sa mère, sa respiration soudain plus saccadée lui firent presque regretter sa franchise. Elle décida cependant que, pour revivre avec les siens, il lui fallait clarifier tout à fait la situation.

— Oh ! Dani, ne l'oublieras-tu donc jamais ? murmura sa mère après un long silence.

— Je l'ignore, rétorqua-t-elle en toute honnêteté. Je m'y efforce.

Elle se tourna vers Renée, assise dans un fauteuil de l'autre côté du lit.

— As-tu raconté à maman que nous avions justement rencontré Ben ici ?

De plus en plus mal à l'aise, sa sœur hocha la tête, sans souffler mot.

Le sourire de Danielle menaçait de tourner au rictus. Tout dire blessait aussi.

— Je l'aimais véritablement, tu sais, quoi que tu aies pu penser de la profondeur de mes sentiments et de ma conscience des réalités. J'ai beaucoup réfléchi depuis que je l'ai revu le jour de ton opération et je suis arrivée à la conclusion que nous n'étions sans doute pas faits l'un pour l'autre. Alors, peut-être as-tu eu raison, conclut-elle avec une expression indéchiffrable. Peut-être ne s'agissait-il pas d'amour réel entre nous, du moins de sa part, puisqu'il a épousé Libby si vite après notre rupture. Il a l'air heureux à présent, j'en suis contente pour lui. Qui sait... si nous nous étions mariés, aurait-il mené sa carrière aussi brillamment ? J'aurais pu être un poids pour lui et l'empêcher d'avancer.

Elle avait à peine conscience de la provocation implicite que recélait ses paroles. Elle ne faisait que pousser la logique du raisonnement de sa mère six ans plus tôt, leur imposant à toutes deux une nouvelle blessure.

— Tais-toi ! s'exclama Mme Williams.

Fébrilement, elle saisit les mains de sa fille et les embrassa.

— Ne pense plus jamais de pareilles sornettes. Veux-tu que je te dise ? Tu étais beaucoup trop bien pour lui !

— C'est faux, rétorqua immédiatement Danielle sans élever la voix.

Mais son ton avait la dureté du métal et ses yeux l'hostilité d'une ennemie. Un pesant silence succéda à leurs paroles. Danielle comprit que le temps ne gommait pas forcément les conflits. Il fallait seulement les taire. Au pire, plier l'échine. Au mieux, les ignorer. Redressant fièrement le menton, elle se mit debout.

— Non, maman, je n'étais pas assez bien pour lui.

A cet instant, une infirmière fit irruption dans la chambre. C'était l'heure de la toilette. A voir les pommettes empourprées de sa patiente et le reste de son visage si pâle, elle décida d'intervenir :

— Madame Williams, je vous ai dit de vous ménager. Il ne vous faut aucune émotion. Pas de disputes, hein, les filles ? ajouta-t-elle, grondeuse et maternelle.

Danielle ne réagit pas, ne souffla mot.

— Nous nous apprêtions justement à partir, déclara Renée d'une voix précipitée.

Elle décocha un bref sourire mécanique à sa mère

avant de contourner le lit pour aller prendre sa sœur par le bras. Sa poigne assurée, autoritaire, surprit cette dernière.

— Nous reviendrons après ta sieste, maman. A tout à l'heure.

Sans ménagement, elle entraîna Danielle hors de la chambre. Une fois dans le couloir, elle lui fit face, furieuse, révoltée.

— Comment peux-tu penser, et proférer de surcroît une telle énormité.

— Quoi donc ? questionna Danielle.

— Tu n'es pas assez bien pour Ben ?

— C'est la vérité.

— Non !

— Renée, je t'en prie...

— Laisse-moi parler, l'interrompit sa sœur. Je n'ai pas l'intention de te laisser t'embourber dans ce genre de certitude. Jamais je n'ai entendu pareille bêtise. Pas assez bien pour lui ! Alors, c'est ce que tu as pensé en le revoyant ? Mademoiselle s'est sentie inférieure, minable, simplement parce que Ben avait l'air bien dans sa peau et qu'il a réussi. Evidemment, si tu continues, tu n'auras pas de mal à devenir aussi inexistante qu'une ombre. Regarde-toi un peu ! Tu maigris de jour en jour. A force de ne pas dormir, tu as sous les yeux des cernes énormes et tu erres dans les couloirs de cet hôpital depuis trois semaines comme si la personne qui t'était la plus chère au monde venait de mourir. D'ailleurs, tu portes déjà le deuil ! As-tu seulement regardé ce que tu mettais ce matin ?

Danielle baissa les yeux vers son jean, son sweater noir ras du cou.

— Eh bien ? Mes vêtements ne te conviennent pas ? Je suis très correcte.

— Là n'est pas le problème, évidemment tu es

correcte... pour te rendre à l'enterrement d'un copain artiste ! Non pour rendre visite à ta mère convalescente.

La véhémence de Renée eut raison de l'indifférence de sa sœur. Elle battit des paupières, honteuse tout à coup.

— Je ne me tiens pas comme il le faudrait, n'est-ce pas ? Oh ! Je suis tellement égoïste.

— Non, seulement un peu déboussolée, corrigea Renée d'un ton plus tendre. Il fallait que quelqu'un te le fasse remarquer, c'est fait. Reprends-toi en main, ma belle. Tu y arriveras, je te fais confiance.

Elle avait raison, mais de là à suivre ses conseils... le fardeau pesait tellement lourd.

— Oh, Renée, je me sens tellement vieille ! Comme si la vie m'avait traversée et qu'elle n'était déjà plus là.

— Ne dis pas de bêtises, on n'est pas vieux à vingt-cinq ans, rétorqua doucement Renée en l'entraînant dans le couloir. Tu iras mieux quand tu ne regretteras plus Ben, quand tu regarderas l'avenir et non le passé.

Elles arrivèrent sur le parking ; le soleil brillait.

— Il n'y a rien dans l'avenir.

— Bien sûr que si. Tu l'ignores encore mais tu le découvriras un jour.

Renée disait vrai, en théorie. Du lieu de son désespoir, Danielle pouvait l'entendre mais non la comprendre. Elle ne voulait pas arrêter de penser à Ben, l'oublier. Savoir si, au plus profond d'elle-même, elle espérait encore ou non n'importait guère.

Renée parut deviner ses pensées.

— Ce n'est qu'une question de volonté, Dani. Tu y parviendras si tu le veux très fort.

— Je t'en prie, ne parle pas ainsi, ne prononce pas ces mots. Ils n'ont peut-être pas le même sens mais tu t'exprimes comme maman il y a six ans, murmura-t-elle d'une voix blanche. Elle m'a dit de rompre avec Ben, je l'ai fait, alors que cet acte allait contre ma foi, contre mon amour. J'ai tenté de me persuader qu'elle avait raison, et quand j'ai enfin compris que je m'étais trompée, que je ne pouvais vivre sans lui, il était trop tard. Il avait épousé Libby. Je suis partie pour essayer de découvrir de nouveaux horizons, poursuivit-elle amèrement. Mais regarde-moi, Renée, regarde ce que je suis devenue. Une artiste douée d'un talent médiocre et qui n'a pas eu le loisir de travailler car il lui faut vivoter grâce à d'absurdes petits métiers. Je ne suis de nulle part, je ne vais nulle part. Avant que Ben ait un fils, je crois que j'aurais été capable de revenir un jour et de tout braver pour le reconquérir. Maintenant, il est trop tard. Je me meurs d'amour sans pouvoir faire un pas vers lui.

Renée soupira profondément, ne sachant que répondre.

— Pourquoi ne puis-je l'oublier? reprit Danielle d'une voix brisée. Il est en moi, il est à moi, à chaque seconde, dans chacun de mes gestes, de mes paroles, de mes pensées. Parfois il me semble qu'il se matérialise devant moi et que je pourrais le toucher. Quand je marche, il avance derrière moi et il me suffirait de tourner la tête pour l'apercevoir et lui sourire...

Son aveu mourut dans un sanglot étouffé. Renée choisit de pourfendre les derniers espoirs de sa sœur.

— Il est peu vraisemblable que tu le revoies un jour. Il n'évolue plus dans le même monde que nous. Finalement, tu fais bien de revenir à Perth. A le savoir proche mais encore plus inaccessible que lorsque tu l'imaginais dans les rues de Sidney, tu finiras par l'oublier sans souffrance, sans même t'en rendre compte. Son souvenir s'éteindra, comme on disparaît de mort naturelle et tu seras enfin libre d'aimer un autre homme. Je sais, cette perspective te paraît aberrante, impossible, mais tu y viendras. Prends le temps qu'il te faut pour faire tes adieux au passé, et reviens-nous. Tout a changé à la maison, tu sais. Papa et maman ont tous deux grand besoin de toi, plus qu'autrefois. Tu peux beaucoup pour eux, et pour toi par la même occasion.

Danielle avait attentivement prêté l'oreille aux paroles de sa sœur, mais il lui fallut un moment avant de répondre. Elle tourna vers Renée un visage métamorphosé par l'inquiétude.

— Alors, c'est vrai, papa a de gros problèmes d'argent ? Il boit de plus en plus. Est-ce pour oublier ses problèmes ?

Renée hocha tristement la tête.

— Il t'en a parlé ?

— Pas lui, Tom. Josie et lui ne ménagent pas leurs allusions. J'ai d'abord cru qu'ils exagéraient. Papa a toujours aimé prendre un verre ou deux avant le dîner.

— Il en consomme beaucoup plus à présent. Tu n'as pas remarqué ?

— Je n'ai pas souvent été à la maison à vrai dire. J'ai passé davantage de temps à l'hôpital. Et j'ai souvent dû sortir avec ces jeunes médecins que maman tient à me présenter. Raconte-moi tout. Comment en est-il arrivé là ?

— Papa s'est mis un jour en tête de boursicoter, sans connaître la moindre ficelle en opérations boursières.

— Tom dit qu'il a beaucoup investi.

— C'est un euphémisme. Il à placé l'argent qui aurait dû payer l'opération de maman.

— Mais il avait beaucoup d'économies. Il parlait d'acheter un cottage à la campagne pour sa retraite !

— Il peut dire adieu à son rêve, expliqua amèrement Renée. Il a confié son argent à un agent de change qui lui a tout fait perdre. Etait-ce un escroc, un incapable ? Peu importe...

— Oh ! Non... Qu'a dit maman ?

— Dieu merci, elle ne sait encore rien. J'ignore à quel moment papa le lui dira. Jack et moi l'avons un peu aidé, dans la mesure de nos moyens. Tom et Josie lui donnent également tout ce qu'ils peuvent mais il le dépense pour boire. Voilà, tu connais toute la situation. En deux mots comme en cent, te voilà une lourde responsabilité sur les épaules si tu reviens vivre à la maison.

Danielle inspira profondément, s'efforçant de dissimuler le choc que lui causait cette nouvelle.

— Effectivement... Au moins, ajouta-t-elle avec un pauvre sourire, cela m'obligera à penser un peu moins à Ben.

Renée se mit à rire. La réaction de sa sœur lui plaisait ; un premier pas positif.

Danielle ne cessa de songer à son père tout au long de la journée.

En rentrant en fin d'après-midi, elle le trouva assis devant la télévision, un peu abruti, une bouteille de Scotch quasiment vide devant lui.

— Hello, papa ! s'exclama-t-elle gaiement. Je rentre tard, pardonne-moi, mais en quittant l'hôpital tout à l'heure, je suis allée chercher du travail.

Les traits de son père se creusèrent soudain.

— Du travail ? répéta-t-il en s'affaissant un peu plus dans son fauteuil.

Lui souriant avec amour, Danielle passa les bras autour de son cou, et embrassa son front, à la naissance de ses cheveux déjà blancs comme neige.

— Quand je t'ai demandé hier soir la permission de revenir vivre ici, je n'avais pas l'intention de me faire entretenir par toi.

— C'est pourtant le rôle d'un père, murmura-t-il.

— J'ai vingt-cinq ans. Je suis largement en mesure de m'assumer financièrement.

— Danielle…

— Ecoute-moi, je ne ferai pas semblant d'ignorer tes mésaventures boursières, déclara-t-elle en s'agenouillant près de lui. Tom m'en a parlé. Renée également. Mais sache que ce n'est pas seulement la raison pour laquelle j'ai décidé de travailler. J'ai l'habitude de gagner ma vie et je souhaite aussi t'aider. Est-ce si terrible ?

M. Williams reconnaissait bien là sa petite fille têtue et volontaire.

— Tu sais bien que non, souffla-t-il, ému. Si seulement j'avais été plus circonspect, je serais riche à l'heure actuelle. En plus de l'opération de ta mère, j'avais le projet de t'offrir des études artistiques et acheter une petite maison de campagne. Je t'avais promis, quand tu étais enfant, de te donner tous les moyens pour étudier les arts. Je voulais le faire même si tu ne vivais plus avec nous. Tu as tellement de talent. Mais voilà, j'ai tout gâché.

— Ne t'inquiète pas pour mes études, en tout cas, protesta-t-elle. J'ai rencontré un couple de peintres à Sydney ; ils m'ont beaucoup appris. Et crois-moi, leur enseignement valait bien deux années aux Beaux-Arts. De toute façon, je n'ai pas l'intention de peindre toute la journée. Les soirées seront bien assez longues après le travail.

— Quel poste t'a-t-on proposé ? s'enquit son père, le regard voilé par l'alcool.

— Je me suis inscrite dans une agence d'employés de maisons intérimaires.

Il fronça les sourcils.

— Tu sais, pour faire des ménages, ou bien... commença-t-elle.

— Dani !

— C'est ce que je fais le mieux, papa. Je ne sais pas taper à la machine, et tu devrais me voir derrière la caisse d'un magasin ! s'exclama-t-elle avec une moue comique qui laissait supposer les pires désastres. Autant exercer le métier pour lequel je suis la plus compétente.

M. Williams renonça à discuter mais il scruta sa fille avec une intensité nouvelle.

— Et Ben Harper ? questionna-t-il soudain. A-t-il quelque chose à voir avec ta décision de revenir à la maison ?

— Rien ne t'échappe, murmura-t-elle.

Se relevant, elle vint s'asseoir sur les genoux de son père, nicha sa tête dans le creux de son cou comme elle en avait eu l'habitude étant petite.

— Bien sûr, il n'est pas étranger à ma décision. Tu sais, il est encore plus séduisant que lorsque je l'ai connu, confia-t-elle en jouant distraitement avec le col de sa chemise. Je l'aime encore, plus que jamais. Mais il n'est plus le même, je dois l'accepter. Il est marié, il a un fils : des garde-fous suffisants pour que je puisse revenir à Perth. Je n'ai pas à craindre de le croiser à nouveau. Renée dit qu'il ne fréquente pas du tout les mêmes milieux que nous.

Elle débitait ces mots de façon un peu automatique. A force de les répéter, peut-être finirait-elle par se plier à leur réalité. Les bras de son père se refermèrent gentiment sur elle.

— Je m'en veux encore de n'être pas intervenu autrefois pour contrer ta mère. Nous aurions dû te laisser vivre ta vie, commettre les pires erreurs s'il le fallait. Je savais que tu aimais vraiment cet homme. Et qu'il t'aimait. Si deux êtres étaient faits l'un pour l'autre... Je regrette, Dani. Pardonne-moi.

— Bien sûr, papa, murmura-t-elle, bouleversée. N'en parlons plus, s'exclama-t-elle avec une gaieté forcée. Ben et moi aurions peut-être formé un couple impossible.

— Ou merveilleux...

— Allons, papa ! Ne m'as-tu pas enseigné à tout regarder de façon positive ? gronda-t-elle en se redressant. As-tu mis le dîner au four en rentrant du travail, comme Renée t'en avait prié ?

Il eut l'air si perdu tout à coup, tellement déboussolé que le cœur de la jeune femme se serra. Si elle n'avait pas été là ce soir, il n'aurait même pas songé à dîner.

Une autre vie commença pour Danielle. Elle avait charge d'âmes et se rendit compte avec surprise qu'il lui devenait aisé, au fil des tâches quotidiennes, de chasser Ben de son esprit. La convalescence de sa mère dura de longs mois.

Tout l'hiver, ses emplois furent nombreux et variés. Aucune tâche ne la rebutait, aucun petit travail qu'elle n'exécutât le plus consciencieusement du monde. Elle lessiva une maison de la cave au grenier, fit briller des couverts en argent, des parquets, des lustres de cristal, joua les aides familiales, les gardes d'enfants.

Son salaire était à la mesure de la quantité de travail qu'elle effectuait, les pourboires étaient généreux le plus souvent. Sans éprouver l'ombre d'un regret, elle confiait chaque semaine la totalité de ses revenus à son père.

Elle avait travaillé pendant un mois comme femme de chambre dans un luxueux hôtel de la ville quand arriva Noël. La semaine précédant le réveillon fut très chargée, ce qui ne lui déplut pas. Cette période lui était chaque année très douloureuse car elle ne pouvait oublier combien Ben aimait cette fête. De nouveau affluèrent les souvenirs.

Il avait emmené la jeune femme contempler les clinquantes et luxueuses vitrines de décembre. Qu'il ne pût rien offrir de tout cela à son aimée ne l'avait pas attristé. Déposant un baiser sur sa bouche, il avait dit : « Un jour, mon amour, ce sera de nouveau Noël et je te couvrirai de présents. » Danielle avait ri gaiement. Son enthousiasme lui plaisait mais au fond elle ne rêvait pas d'être riche, n'exigeait aucune promesse. Tout ce dont elle avait besoin, c'était lui. Il était sa richesse, son amour était sans prix.

Mme Williams ne l'entendait pas de cette oreille. Patiemment, obstinément, elle sapait les espoirs de sa fille.

— Tu seras pauvre, Dani, répéta-t-elle, inlassable. Il ne te donnera rien, pas même la sécurité d'un foyer modeste. C'est un rêveur, pas un gagnant.

La jeune femme ne se souvenait pas du moment où elle avait commencé à écouter puis à croire les tristes prophéties de sa mère. Elle se rappelait une scène pénible parmi toutes, quand elle avait, avec un bonheur sans mélange, montré les cadeaux que Ben venait de lui offrir. Présents bien modestes mais d'une immense valeur affective : un flacon de son parfum préféré et une ravissante figurine de porcelaine.

— Voici donc ce que ton prétendant appelle des cadeaux ? avait déclaré Mme Williams avec une moue hautaine. Il se moque de toi, ma pauvre fille, et tu es trop naïve pour t'en rendre compte.

Six ans après, Danielle rougissait encore de honte, pour la mesquinerie et la bêtise de sa mère, pour sa soumission à elle.

Elle marchait alors dans la rue, se rendant à l'agence

d'emplois intérimaires. Malheureuse à cause de ses souvenirs, elle shoota violemment dans un caillou. « Arrête de te faire mal, se dit-elle en glissant les mains dans les poches de son jean. Oublie, oublie... »

Poussant la porte vitrée de l'agence, elle s'efforça de sourire.

— Bonjour, Miss Higgins ! Quelque chose pour moi aujourd'hui ?

La grande et mince jeune femme assise derrière le bureau leva un visage souriant vers la nouvelle venue.

— Vous tombez bien, Danielle, je vous attendais. J'ai besoin d'une personne de confiance pour aider Maurice à s'occuper du buffet à un grand réveillon.

— Oh ! souffla Danielle, déconfite.

— Je sais, je sais, reprit Miss Higgins, mais je suis malheureusement à cours de personnel. Faites-moi la faveur d'accepter, Danielle.

— Vous ne mesurez pas ce que vous me demandez. Maurice est absolument odieux avec ses aides.

— N'ajoutez rien, vous serez gentille.

— Il n'y a pas plus égoïste, hautain, stupide et suffisant, poursuivit Danielle entre ses dents.

— Je vous en prie, intervint de nouveau Miss Higgins avec un sympathique sourire. En dépit de tous ses défauts, Maurice est un cuisinier hors pair. Et il a besoin de trois extras...

Danielle se laissa tomber sur la chaise face à son employeuse.

— N'avez-vous personne d'autre ? Je me réveille encore la nuit avec des sueurs froides au souvenir de la façon dont il s'est emporté avec moi au thé du Club Féminin. Un coup d'œil à son affreux pâté de foie m'avait suffi pour subodorer que quelqu'un serait malade le lendemain. Le scandale qu'il a fait quand j'ai tenté discrètement de retirer le pâté de la table avant que l'une de ces dames ne se serve !

Miss Higgins réprima un rire pour opposer à son employée un visage des plus sérieux.

— Evidemment, votre délicatesse et vos scrupules sont tout à fait étrangers à un individu comme Maurice.

— Mais n'importe qui aurait pu s'apercevoir que ce pâté était immangeable ! insistait Danielle.

— Sans doute... conclut Miss Higgins. Quoi qu'il en soit, il exige trois extras. C'est le réveillon, il y aura beaucoup de travail, et j'ai remué en vain ciel et terre pour trouver la troisième aide.

— Avez-vous contacté Janice et Janet ?

Il s'agissait de deux charmantes jumelles avec qui elle avait fait équipe pendant un mois à l'hôtel.

— Ce sont justement elles qui ont déjà été retenues, rétorqua Miss Higgins. Je leur ai téléphoné hier soir. Elles ne souhaitaient pas plus que vous faire équipe avec Maurice mais elles ont fini par accepter. Elles proposent de vous emmener en voiture là-bas et de vous reconduire le soir. Il sera tard, vous n'aurez aucune chance de trouver un bus.

— C'est une véritable conspiration, vous avez déjà tout organisé, soupira Danielle.

— Dites plutôt que je me suis souciée de vous. Alors, Danielle, votre réponse ? Sincèrement, je n'ai rien d'autre à vous offrir dans l'immédiat et je n'ignore pas que vous avez besoin d'argent.

Elle n'avait en effet guère le choix.

— D'accord, dit-elle enfin.

Ses parents passaient le réveillon chez des amis de son père ; Tom et Renée ne viendraient à la maison que le jour de Noël. Elle ne souhaitait pas particulièrement passer seule cette soirée à se morfondre.

— Mais si Maurice ose venir se plaindre à vous de quoi que ce soit…

Le sourire de son employeuse l'arrêta.

— Je compatirai à ses malheurs sans prêter foi à ses jérémiades, rétorqua Miss Higgins en riant. Vous le savez bien, Danielle, de toute mon équipe c'est sur vous que je compte le plus.

3

En prenant place à l'arrière de la vieille et poussive petite voiture de Janet, très mal à l'aise, engoncée dans l'uniforme noir qu'avait exigé Maurice, Danielle décida fermement de bannir ce soir Ben de ses pensées. D'un geste quelque peu nerveux, elle rajusta les bretelles de son petit tablier blanc, le col empesé qui lui grattait le cou. En cette veille de Noël, elle n'avait songé qu'à Ben. Elle espérait bien que la foule, le travail, l'agitation l'aideraient à l'oublier.

— Regardez ces merveilleuses villas! s'exclama Janet.

Une large route conduisait, vers le sud de Perth, aux quartiers résidentiels. Là, en bordure de mer, les plus belles demeures qui se puissent imaginer offraient aux regards admiratifs le tapis de leurs grasses pelouses, l'ombre de magnifiques arbres centenaires, derrière lesquels elles se dissimulaient coquettement.

— Je me demande toujours qui peut vivre dans de telles maisons, poursuivit la conductrice.

Plus elles avançaient, plus le luxe s'affirmait. Le bois, la pierre, le verre, l'acier déployaient avec fastes leurs multiples possibilités architecturales. Et toujours, au-delà des collines, au-delà des bois, le spectacle grandiose de l'océan, scintillant sous le soleil de décembre. En Australie, c'était le plein été.

— Comment trouvez-vous celle-ci ? questionna Janet en désignant de l'index une superbe demeure perchée au sommet d'une colline verdoyante. Imaginez-vous la vue que l'on a sur la mer de l'autre côté ?

— Que ne donnerais-je pas pour vivre une semaine seulement dans un tel paradis ! soupira sa sœur.

Danielle, pour sa part, eut le souffle coupé face à tant de beauté.

Bâtie en pierre grise, pourvue de lignes audacieuses qui l'intégraient d'autant mieux au paysage, la maison rutilait au milieu de ses parterres de fleurs multicolores, de ses arbres variés. Fraîchement arrosée, l'immense pelouse scintillait, sous le soleil couchant, des reflets arc-en-ciel d'une opale.

A un cadre aussi parfait, l'imagination de la jeune femme prêtait des hôtes exemplaires : une famille heureuse, chaleureuse. Une mère aimante et un père modèle regardaient là, sans doute, cinq ou six bambins rieurs, se roulant dans les parterres de fleurs, deux chiens patauds et joueurs. Là, tout devait respirer la sérénité d'un foyer, le confort, le luxe offerts à de nombreux amis. Jusqu'au vent qui bruissait dans les feuilles, tout se faisait complice de la joie et de la paix.

Janet avait ralenti pour emprunter l'allée qui montait en pente douce vers la villa.

— Que fais-tu ? s'écria Janice. Personne ne nous a permis d'entrer pour visiter. Je n'ai pas envie de me retrouver au poste pour infraction à la propriété privée ! Allons, Janet, fais demi-tour. Nous serons en retard et Maurice va être furieux.

— Un peu de calme, la marmaille, rétorqua Janet en étouffant un rire. Terminus, tout le monde descend. C'est ici qu'a lieu la soirée.

— Ciel ! murmura Janice. Je n'ai jamais vu un tel palace. Dire que nous allons y entrer !

Danielle joignit son rire à celui de ses amies. Pour des jumelles, elles étaient incroyablement différentes. Vêtues toutes deux de leur uniforme, avec leurs courts cheveux bouclés, leurs yeux bleus, elles auraient pu tromper le meilleur observateur, mais leurs personnalités n'auraient pu s'opposer davantage. Calme, pondérée, mature, légèrement introvertie, Janet aurait pu passer pour beaucoup plus âgée que Janice. Cette dernière était comme un chiot un peu fou, tout feu, tout flamme. Elle disait ce qui lui passait par la tête, sans modérer jamais ses commentaires, et subissait sans gémir les conséquences de son naturel par trop expansif. D'une certaine façon, Danielle l'enviait. Courage ? Inconscience ? Rien ne l'effrayait.

De nombreuses voitures étaient garées le long de l'allée. Janet arrêta son véhicule derrière une rutilante voiture de sport rouge.

— Allons-y, les filles, déclara-t-elle en ouvrant sa portière.

Un coup d'œil sévère à la tenue de ses compagnes et, relevant le menton, elle prit la tête jusqu'au porche. Danielle aspirait avec délice la brise chaude du soir. Presque trop chaude. Elle souhaita qu'il fît plus frais à l'intérieur de la maison.

— En tout cas, observa Janice qui détaillait méthodiquement chaque véhicule, les maîtres de maison ne sont pas snobs. Toutes les marques de voitures, même les plus modestes, sont représentées.

— Espérons qu'ils font preuve de la même largeur d'esprit avec leur personnel, murmura Janet.

Elle marchait moins vite, très intimidée et nerveuse tout à coup.

— Non mais, de quoi avons-nous l'air ? s'exclama

soudain Danielle en riant. Ne dirait-on pas trois gamines qui s'apprêtent à entrer en fraude dans une réception sans y avoir été invitées ! Même toi, Janice. Tu me déçois.

— Eh bien ! Tu n'as pas un peu peur, toi ? questionna Janet.

— Oh si ! Mais d'une seule chose : la réaction de Maurice quand il me verra.

Les trois filles éclatèrent de rire et leurs craintes s'évanouirent.

— Peut-être t'aura-t-il oubliée, suggéra gentiment Janice.

— Cela m'étonnerait. Vue la scène qu'il m'a faite pour son affreux pâté de foie... Beurk !

Sa certitude ne tarda pas à se vérifier. Maurice devint livide, rouge, puis violet en reconnaissant la jeune femme à la porte de la cuisine.

— Vous ! souffla-t-il, au bord de l'apoplexie.

— Bonsoir, monsieur, fit Danielle avec un sourire qui se voulait modeste.

— Comment Agatha Higgins a-t-elle pu me faire ça, à moi ? gémit le petit homme replet, gesticulant suffisamment pour mettre en péril sa haute coiffe de cuisinier. Je lui avais spécifié que je ne voulais plus jamais de vous.

— Désolée, monsieur, Miss Higgins n'avait personne d'autre, avec le réveillon...

— Pourquoi moi ? Pourquoi moi ? répétait inlassablement Maurice.

Les trois jeunes femmes restèrent sagement alignées et immobiles devant lui, attendant patiemment la fin de ses lamentations. Janice, cependant, louchait déjà vers la longue table couverte de mets succulents, attentive aux ballets des serveurs qui se succédaient de part et d'autre de la porte battante. Danse incessante de plats

44

d'argent, de verres de cristal. Les fumets les plus délicieux s'entrecroisaient, se mêlaient, du four au grill, des cocottes aux saladiers colorés.

Enfin, Maurice se tut dans un soupir résigné. Il était largement temps d'occuper les trois extras qu'il avait expressément exigées.

— Vous êtes en retard, commença-t-il par faire remarquer avec son amabilité coutumière. Enfin, mieux vaut tard que jamais. Vous, poursuivit-il en désignant Janice de son index potelé, filez au salon et faites circuler les plateaux de canapés parmi les invités. Vous, dit-il en s'adressant ensuite à Janet, redressez votre col et emportez ces hors-d'œuvre chauds. Présentez également le plateau à tout le monde.

Les deux jeunes femmes s'apprêtaient à obéir promptement. Un froncement de sourcils en direction de Janice suffit à les arrêter.

— Qu'est-ce que c'est que cette tache sur votre poignet ? Votre robe est sale ?

— Pas... pas du tout, balbutia la jeune femme en dissimulant son bras derrière son dos.

Avec un sourire forcé, elle s'empara d'un plateau pour suivre prestement sa sœur hors de la cuisine avant que l'odieux personnage ne détaillât plus avant sa tenue.

Restée seule, Danielle dansait machinalement d'un pied sur l'autre, attendant les ordres, ou plus exactement le verdict glacé qui la renverrait chez elle sans autre forme de procès, sans travail et sans gages. Elle n'aurait pas dû venir... Sous le regard du monstre, elle eut l'impression de se liquéfier. Une question lui accaparait l'esprit : comment expliquerait-elle son renvoi à Miss Higgins ?

— Quand on a l'honneur de porter un prénom français, fit enfin Maurice avec une moue dédaigneuse, on devrait faire preuve d'un peu plus de respect pour ma cuisine.

Ah bon ? songea Danielle qui n'avait de français que les goûts légèrement exotiques de sa mère. Inutile de se lancer dans une explication...

— Je vous prie de m'excuser, monsieur.

— D'accord, d'accord, vous l'avez déjà dit. Ne restez pas les deux pieds dans le même sabot. Prenez un plateau et faites-le circuler.

Elle s'élança avec tant de zèle qu'elle faillit tomber sur le sol bien poli de la cuisine. Elle n'osa pas regarder derrière elle, sentant trop bien sur sa nuque le regard meurtrier du chef. Celui-ci secouait la tête, répétant « pourquoi moi » ?

Au sortir de l'office, elle emprunta un long couloir au parquet si bien ciré qu'il semblait un miroir. Si flagrante était l'atmosphère de Noël que Danielle se permit un instant de songer à Ben. Elle l'imaginait dans une maison semblable à celle-ci, entouré de ses neveux et nièces, de sa femme, de son fils. Ben avait beaucoup de frères et sœurs mariés ; il avait dû naître beaucoup d'enfants en six ans.

Au seuil du salon, elle s'arrêta. Dans un décor de fête, une foule rieuse et richement vêtue se divisait en petits groupes. Tables basses, fauteuils ou petits divans de cuir, chandeliers d'argent où se consummaient de longues bougies rouges, délicats petits meubles en bois de rose : l'ensemble du mobilier s'harmonisait à la perfection avec les hauts murs tapissés de tissu ivoire, les lourds rideaux de velours gris restés ouverts devant les nombreuses fenêtres où se mouraient les derniers rayons du jour. Au bout de l'immense pièce, un gigantesque arbre de Noël où clignotaient des ribambelles de guirlandes multicolores. L'épaisse moquette sombre ajoutait à l'ensemble une note feutrée, confortable. Ben aurait adoré cet endroit.

A peine servait-elle depuis quelques minutes que le plateau de Danielle fut vide. Un homme vêtu d'un costume sombre s'arrêta soudain devant la jeune serveuse. Elle gardait poliment les yeux baissés, attendant qu'il prenne un petit-four. Elle sursauta quand l'homme la saisit au menton, l'obligeant à le regarder.

— Danielle ! J'avais bien cru vous reconnaître.

— Monsieur Harper ! s'exclama-t-elle, bouleversée de se trouver face au frère de Ben.

— Vous m'appeliez John quand vous avez terminé le lycée et que vous commenciez à fréquenter Ben.

— Joyeux Noël, John, fit-elle avec un sourire un peu forcé. Comment allez-vous ?

— Très bien, très bien, répondit-il avec un large sourire. Et vous ?

— Je me porte comme un charme. Je suis heureuse de vous revoir. Comment va Ben ? ajouta-t-elle, devinant combien l'absence de cette question serait suspecte.

— Plutôt bien, murmura John tout à coup plus songeur. Ne l'avez-vous pas aperçu parmi cette foule ? Il a dit qu'il ferait une apparition. Il nous a raconté qu'il vous avait revue... Il y a six mois. A l'hôpital, n'est-ce pas ? Votre mère était opérée ?

— C'est exact.

— Elle se porte mieux ?

— Oui, merci.

Danielle ne tenait pas à s'étendre sur le sujet. La tournure de cette conversation un peu mondaine la mettait mal à l'aise.

— En tout cas, reprit John, vous êtes plus belle que jamais.

Avisant un autre homme qui passait à proximité, il lui saisit le bras et l'amena devant la jeune femme.

— Vous souvenez-vous de mon frère Michael ?

De tous les frères de Ben, Michael avait été le préféré de Danielle. Son sens de l'humour, sa bonne humeur et sa chaleur lui avaient toujours plu. Moins beau que Ben, il avait en commun avec lui de magnifiques yeux d'or et d'ambre.

— Bonsoir, Michael, dit-elle en lui tendant la main.

— Je rêve ! s'exclama le jeune homme en la reconnaissant. Quoi ? Vous ne m'offrez qu'une poignée de main après tout ce temps ?

Dans une étreinte chaleureuse et toute fraternelle, il referma les bras sur la jeune femme qui, émue, faillit lâcher le plateau qu'elle portait sur le bras gauche.

Comment pouvaient-ils être si gentils après la façon dont elle s'était comportée avec leur frère voilà six ans ? Certainement, Ben leur en avait parlé. Elle n'aurait mérité que leur mépris, au mieux leur indifférence, mais pas cette chaleur amicale et généreuse.

La honte, le regret de nouveau s'emparèrent d'elle. Elle n'eut plus qu'une idée en tête : disparaître, filer au plus vite. Dieu sait combien d'autres frères et sœurs Harper étaient présents à ce réveillon. Elle préférait ne pas avoir à saluer toute la famille, Ben encore moins. En tout cas pas dans ces conditions, pas au milieu d'une fête de famille où il s'était sûrement rendu avec son épouse. Les voir ensemble était au-dessus de ses forces.

Elle ne connaissait pas Libby mais, les années aidant, elle avait fini par se faire une image précise et torturante de cette femme. Elle se figurait une superbe blonde, pourvue de toutes les grâces dont elle manquait si cruellement.

Soudain, elle sursauta, confuse d'avoir gardé le silence si longtemps, certaine malheureusement que les deux hommes en face d'elle déchiffraient sur ses traits las la moindre de ses pensées.

— Je ferais mieux de retourner en cuisine, déclara-t-elle avec une légèreté forcé. Je suis vraiment heureuse de vous avoir revus tous les deux. Transmettez mon bonjour à Ben au cas où je ne le verrais pas.

Tournant prestement les talons, elle fendit la foule des invités, pressée de disparaître de la vue de tous. Une terrible douleur venait de se raviver dans son cœur. Tout se mit à tourner autour d'elle, le décor s'obscurcit, les visages se firent grimaçants. Si elle ne gagnait pas la sortie au plus vite, elle risquait d'avoir un malaise devant tout le monde.

A peine avait-elle atteint le couloir et s'était-elle appuyée au mur, s'efforçant de reprendre sa respiration, qu'elle aperçut tout près d'elle une coiffe blanche familière. En dessous, le visage congestionné par la colère de Maurice. La menace évidente de l'orage aida la jeune femme à se ressaisir.

— Vous ne faites pas partie des invités ! gronda le chef, les dents serrées. Comment osez-vous vous conduire de la sorte ?

Les yeux dilatés par la surprise, elle ne put que dévisager son bourreau. S'efforçant de conserver un calme apparent, elle jugea utile de s'expliquer.

— Je ne prétends pas être une invitée, monsieur. Les deux hommes avec qui je m'entretenais sont de vieux amis. Je ne les avais pas vus depuis des années. Ils m'ont reconnue, m'ont parlé. Je n'allais pas commettre l'impolitesse de décamper sans leur adresser la parole.

— Un problème, Maurice ?

Cette voix grave et douce, derrière elle, pétrifia Danielle. C'était bien la dernière chose qu'elle eut souhaité en cet instant pénible. Sa réaction fut immédiate : elle perdit tout contrôle d'elle-même. Ses mains s'ouvrirent, lâchèrent le plateau d'argent qui alla s'écraser bruyamment sur le parquet ciré. L'atroce fracas se répercuta au centuple dans son cerveau en feu.

Si Maurice avait été jusqu'alors furieux, il devint fou de rage. Exorbités, ses yeux auraient pu foudroyer la jeune femme fautive sur-le-champ. Il allait exploser. Des gouttes de sueur perlèrent sur son front, les veines de son cou se gonflèrent de façon tout à fait impressionnante. Serrant les poings, il s'efforça de retrouver sa respiration avant de reprendre la parole :

— Ce n'est rien, monsieur Harper. Je vais me débrouiller.

Danielle avait déjà plongé vers le sol et, à genoux, tentait fébrilement d'effacer les traces de son crime. Moelleux à souhait, les petits fours restants s'étaient écrasés et éparpillés sur le sol. Un désastre ! La voix de Ben une seconde fois la paralysa.

— Nous allons appeler quelqu'un pour nettoyer, Dani.

— Je t'en prie, Ben, va-t'en, souffla-t-elle d'une voix à peine audible.

Elle n'osait lever les yeux vers lui. Un pas qu'elle aurait reconnu entre mille s'approcha d'elle, suivi bientôt de nombreux autres. La scène attirait déjà un public. On murmura, on se raconta l'incident, on le déforma. Autour de la jeune femme toujours agenouillée, ce fut bientôt un ballet de jambes et de pieds. Elle se retrouvait seule au milieu d'eux, le centre d'attraction. La honte, la confusion, le désir de disparaître sous terre la déchiraient.

Devant tous, ignorant dans sa colère le tutoiement étrange dont elle avait usé vis-à-vis de M. Harper, Maurice prit un malin plaisir à la tancer vertement :

— Comment osez-vous vous adresser à mon client avec une telle familiarité !

Cette fois, elle crut mourir. Elle releva doucement la tête vers le chef, se sentit vaciller en découvrant Ben près de lui. Lentement, les mots se frayaient un chemin vers sa compréhension.

Mon client? avait-il dit. Oh ! Non ! Elle aurait encore pâli si cela avait été possible. Tout souffle l'abandonna.

Il s'agissait d'une soirée donnée par Ben, de la maison de Ben ! Et elle se retrouvait là, servante incompétente et maladroite, agenouillée au milieu de petits fours écrasés... L'humiliation n'aurait pu être pire.

— Disparaissez, immédiatement ! reprenait Maurice de la voix la plus forte et la plus grandiloquente. Faites-moi confiance, je veillerai à ce que vous ne sévissiez plus nulle part.

Sa première réaction fut de s'excuser, de plaider... n'importe quoi ! Tout pour ne pas perdre son travail. Elle en avait trop besoin. Son père comptait sur ses rentrées d'argent régulières.

Mais Ben était présent, témoin plus qu'acteur de cette pénible scène, et avec lui de nombreux invités. Elle ne put prononcer une syllabe.

Se redressant lentement, elle pressa nerveusement ses mains l'une contre l'autre pour les empêcher de trembler, et fit face à Maurice, aussi dignement que possible.

— Très bien, monsieur.

Sa voix était calme. Sans le regarder véritablement, elle adressa un bref signe de tête en direction de Ben, avant de se détourner pour regagner la cuisine. Son courage avait des limites, elle n'aurait su quitter les lieux par la grande porte, sous les yeux de tous.

— Dani, attends !

L'appel de Ben l'arrêta mais elle ne se retourna pas.

Irrépressibles, des larmes brûlantes menaçaient de franchir le frêle barrage de ses paupières.

En quelques mots discrets, le maître de maison pria ses invités de regagner le salon.

De son côté, Maurice aboyait ses ordres à Janet, qui dut interrompre son service pour nettoyer les dégâts dans le couloir.

Ben s'était approché de Danielle ; il posa une main sur son épaule.

— Dani...

— S'il te plaît, laisse-moi seule.

Elle ne le regardait pas, au risque de perdre le dernier semblant de dignité qu'il lui restait.

— Tu ne peux pas partir ainsi, insista-t-il. Viens, suis-moi.

— Ben, je t'en prie...

Il ne l'écouta pas. La prenant par le bras, il l'entraîna de force vers le hall, la fit entrer dans une pièce tranquille et referma la porte derrière eux. Les bras croisés, il s'y appuya.

Longuement, en silence, il détailla la jeune femme livide. Au fond de ses prunelles, comme sur les traits de Danielle, naissaient mille émotions qu'ils partageaient sans avoir à se le dire. Pas un détail n'échappa au regard scrutateur de Ben, sous lequel la jeune femme souffrait de se savoir pitoyable, défaite dans son petit uniforme noir.

Un fossé pire que toutes les histoires du passé, pire que toutes les tensions actuelles, semblait à présent les séparer pour jamais. Celui d'un destin moqueur qui les obligeait aujourd'hui à se faire face, lui dans son smoking élégant, elle dans sa tenue de travail, de l'autre côté de la barrière, de l'autre côté du monde.

Le silence menaçait de ne jamais se rompre. Un silence plein de bruit et de fureur, lourd de tous les mots qu'ils ne s'étaient jamais dit, des souvenirs encore brûlants, des regrets.

Cependant, une fois encore, le monde extérieur fut moins fort. Il s'effaça peu à peu dans la mémoire et les sens à vif de Danielle. Tout disparut. Qui elle était, où elle se trouvait, ce qui venait d'arriver, elle oublia tout. Il n'y eut plus que Ben, seulement Ben. Ben encore après tant d'années. Six mois s'étaient écoulés depuis son retour à Perth. Elle se rendit compte qu'elle n'avait pas cessé d'espérer le revoir un jour. Son vœu le plus cher se matérialisait, et elle était incapable d'un geste, d'un mot. Son corps n'avait de vivant que l'accomplissement machinal du fait de respirer, de garder les yeux ouverts, de se tenir debout. Elle avait toujours su ce qu'elle aurait à lui dire si l'opportunité se présentait. Impossible maintenant de s'en souvenir. Impossible même de meubler poliment un silence qui achevait de la troubler, de la perdre.

Tout abandonnée à son amour pour cet homme, elle savait, comme par le miracle du dédoublement, que sa place n'était pas ici. La donne des cartes était mauvaise, menteuse, fallacieuse... et pourtant, son pouls battait plus fort que jamais à la vue du visage aimé dont chaque détail l'émouvait aux larmes. Ni le profil anguleux, ni les lèvres sensuelles, ni les yeux d'or perçant n'avaient changé. Et entre leurs deux corps, une attirance irrésistible, un élan primitif, vital qui balayait tout sur son passage : la rupture, les années d'absence, la logique, la raison. Le bien ou le mal n'avaient à cet instant plus leur place. Elle retrouvait Ben. Son Ben, l'homme qu'elle n'avait jamais cessé d'aimer. Son ardeur éveillée était douloureuse à ses membres liquéfiés, à ses sens longtemps endormis. Une sorte de long cri silencieux montait dans sa gorge, l'étranglait.

Ben s'approcha d'elle. Comme en rêve, il la prit dans ses bras. Si leurs mémoires avaient failli, leurs corps auraient seuls reconnu l'autre. Ils s'épousèrent avec l'évidence de l'amour jamais tari. Leurs bouches se cherchèrent, se trouvèrent, se prirent, hésitantes et douces d'abord, très vite fiévreuses, voraces, affamées. Danielle reconnut l'existence d'un désir fou en l'homme qui la tenait embrassée. Si elle en fut étonnée, les gestes d'amour qu'ils retrouvaient ensemble suffirent à lui fournir une certitude plus forte que tous les raisonnements du monde.

Elle répondit à Ben avec l'ardeur d'une brindille de bois sec sous la flamme qui la dévore. Sous ses paupières closes affleurèrent des larmes brûlantes qui coulèrent sans retenue le long de ses joues, jusqu'à leurs lèvres jointes, jusqu'à la chaleur de leurs bouches mêlées. Toute retenue envolée, elle rendait à Ben baiser pour baiser, caresse pour caresse, ravie à elle-même, ravie par lui qui l'emportait vers les routes lumineuses d'une passion intarissable. Les mains de Ben au creux de ses reins, à sa taille, sur ses hanches mobiles... Elle pleurait de joie et de désespoir tout à la fois.

D'une voix rauque, inaudible, il murmura quelques mots. Sans l'avoir entendu, elle lui répondit, d'autres paroles amoureuses qui se perdirent dans le secret de leur folle étreinte.

Jamais autrefois il n'en avait été autrement. Toujours les avait unis cette fête ravageuse et terrible des sens, cet envol des corps qu'ils trouvaient dans les bras de l'autre. Six années de privation n'y avaient rien changé. Ben conservait l'extraordinaire pouvoir de donner à Danielle la vie véritable, la seule qui importât, la part vitale sans laquelle elle demeurait incomplète, fantôme d'elle-même.

Leurs corps ne furent bientôt plus que gémissements de plaisir douloureux, prénoms murmurés, caresses multipliées à l'infini, plus audacieuses, dont une seule aurait eu le don de les rendre fous.

Alors, soudain, dans le curieux silence qui ne scandait que l'écho de son nom, Danielle se souvint qu'il existait une autre femme. Elle s'appelait Libby. Tout se brisa en elle. Aussi terrible et ravageur que fût son désir de Ben, elle n'aurait su passer outre l'ignominie de la trahison.

Avec un cri étouffé, elle s'arracha aux bras de Ben. Sauvages et perdus étaient ses yeux rivés à l'homme qu'elle aimait. Serrant les poings, s'efforçant d'arrêter l'incontrôlable tremblement qui l'agitait toute, elle chercha à recouvrer un semblant de raison.

— Je ne devrais pas me trouver ici, balbutia-t-elle, d'une voix à peine audible. Je ne devrais pas être en train de...

Une rougeur traîtresse envahit ses joues.

— Oh, si, murmura Ben en faisant un pas vers elle. Elle recula.

— Ne me fuis pas, Dani. Tu n'en as pas envie. J'ai cru que tout était mort voilà six ans. Dieu merci, je viens de comprendre combien je me trompais. Mens, dis ce que tu voudras, ce qui existait entre nous est toujours vivant.

— C'est vrai, admit-elle, bouleversée par ses traits tourmentés. Pas une seconde je n'ai cessé de t'aimer mais...

La distance entre eux n'exista plus. Ben l'avait rejointe et la pressait contre lui.

— Ben !

Son nom se perdit dans la tourmente de leur baiser. Jamais, se dit-elle, en un éclair de merveilleuse lucidité, leur étreinte n'avait été si sauvage, si parfaite. Peut-être parce qu'ils avaient tous deux mûri, peut-être parce que la séparation leur prouvait l'exception de leur amour, ils avaient acquis tous pouvoirs sur les sens et l'âme de l'autre. Leurs corps s'épousaient avec une rare et extraordinaire évidence, comme s'ils avaient été les deux moitiés d'un tout.

« Je me trompe, songea la jeune femme, éblouie. Non, je n'ai pas le droit d'être là... » Sans doute Ben devina-t-il ses pensées. Son baiser se fit plus tendre, moins ravageuse la caresse sur ses seins, dans ses cheveux. Longtemps plus tard, il releva la tête, ouvrit les yeux, contempla le visage aimé.

— Dani... Dani, répéta-t-il. Pendant toutes ces années, je n'ai pas cessé de rêver de te tenir ainsi dans mes bras, de t'embrasser, de t'aimer. Un désir qui me rongeait, me dévorait à l'intérieur de moi.

L'expression de son regard se modifia alors légèrement.

S'éloignant de la jeune femme, il lui prit la main et l'invita à s'asseoir tout près de lui sur un long divan de cuir brun.

4

Seulement alors, Danielle prit conscience du cadre dans lequel elle se trouvait : un bureau dont l'austérité l'étonna. Une bibliothèque où s'alignaient d'innombrables volumes couvrait un pan entier de mur, du sol au plafond. Près de la fenêtre se tenait une imposante table, derrière laquelle trônait une chaise de cuir à haut dossier. La vue était magnifique : un tapis de pelouse verdoyante qui se déroulait moelleusement jusqu'à l'océan. Sur le bureau, une belle lampe, un poste téléphonique, rien d'autre. A l'autre bout de la pièce, le divan de cuir et deux fauteuils assortis faisaient cercle autour d'une table basse orientale précieusement ouvragée. Sur les murs lambrissés de bois clair, des portraits côtoyaient de jolies miniatures. En artiste consciencieuse, Danielle aurait dû souhaiter s'en approcher pour les contempler de près, mais elle n'y jeta qu'un coup d'œil avant de revenir à Ben. Pour dissimuler son appréhension, elle affecta une parfaite assurance.

En six ans, Ben était devenu un autre homme. Elle, n'avait pas changé, se dit-elle. Ils vivaient désormais dans deux mondes opposés. L'évidente opulence de Ben ne laissait pas de la mettre mal à l'aise. Sa voix tremblait quand elle parla :

— Je dois partir.

— Non, Dani, protesta-t-il en se levant à son tour. Pas déjà.

Alors, prenant son courage à deux mains, elle inspira péniblement.

— Qu'attends-tu de moi ?

— Curieuse question, rétorqua-t-il d'un ton soudain plus métallique.

Cette voix inconnue la choqua. Ben, elle le remarqua, avait du mal à se contrôler.

— Je n'ai jamais rien attendu de toi, poursuivit-il, mais je suis prêt à t'accorder tout ce que tu demanderas.

Pour étranges que fussent ces paroles à cet instant, elles n'étaient dans l'esprit de Danielle que l'écho de promesses autrefois échangées.

— Je t'en prie, Ben. Ne dis pas cela. J'ai depuis longtemps perdu le droit de t'entendre prononcer ces mots.

— Pourquoi ? questionna-t-il, bouleversé. Il y eut un temps où je ne vivais que pour toi. Et puis tu m'as quitté. Pourquoi, Dani ? Toutes ces années, je me le suis demandé en vain. Tu vas me le dire aujourd'hui.

Elle frémit et détourna la tête pour fuir son regard trop perçant. Il n'existait pour elle aucun moyen de s'expliquer, de se faire comprendre. Elle-même, n'avait-elle pas renoncé à comprendre ? Quels mots avait employé sa mère pour finalement la convaincre de quitter Ben ? Elle ne s'en souvenait pas. De toute façon, quelle importance cela avait-il aujourd'hui ?

— Je regrette, murmura-t-elle. Sache seulement que je n'ai pas voulu te blesser.

— Tu ne réponds pas à ma question.

Effrayée, elle secoua la tête, regarda de nouveau Ben. Les mots fusèrent.

— Je ne sais pas ! Je n'en sais rien ! Et ce n'est de surcroît ni l'heure ni le lieu d'avoir cette conversation.

La tension dans la pièce se fit presque palpable. L'un des convives sûrement avait dû raconter à Libby l'incident avec la serveuse. A moins que la maîtresse de maison n'y ait assisté, au milieu des autres. A l'heure actuelle, elle cherchait peut-être son époux. Une scène des plus désagréables se profilait dans l'imagination de Danielle : Libby ouvrant la porte, les trouvant ensemble. Suivraient de laborieuses et pénibles explications...

— Tes invités vont s'inquiéter de ton absence, fit-elle d'une toute petite voix.

— Il s'agit des invités de ma mère, non des miens, répliqua-t-il avec nonchalance. Te souviens-tu comme elle aimait Noël ? Je lui ai promis que cette année ne serait pas différente des autres. Je crois que pas une de ses connaissances n'est absente ce soir.

Danielle hésita. Le trouble et le soulagement se la disputaient.

— Tu veux dire que... ce n'est pas ta maison ? Nous sommes chez tes parents ?

Cette perspective la rassurait, gommant soudain tout ce qui faisait de Ben un étranger. Il redevenait le même, celui qu'elle avait intimement connu. M. et Mme Harper, après des années de vache enragée, avaient peut-être bénéficié d'une bonne fortune, d'un héritage inattendu... qu'importait.

— Cette demeure m'appartient, dit Ben, qui s'étonna de voir se défaire l'expression de la jeune femme. Mes parents s'y sont installés depuis la retraite de mon père, voilà deux ans.

— Oh...

Ce retour à une réalité qui la dérangeait, consommait à chaque seconde sa rupture avec Ben, la laissa désemparée, encore plus mal à l'aise.

— C'est... une très belle maison...

— Très vide surtout.

Danielle ne sut comment interpréter cette réflexion pour le moins sibylline. Le mariage de Ben n'était-il pas heureux? Le cas échéant, elle était la dernière personne à souhaiter lui servir de confidente. Elle en éprouva une peur soudaine, presque physique. Ses oreilles bourdonnaient, elle respirait avec difficulté. Involontairement, elle détourna de nouveau les yeux... pour les reporter aussitôt sur le visage aimé.

La tristesse et la tension empreintes sur les traits de Ben l'étonnèrent encore davantage. Elle constata qu'il avait maigri, sa musculature semblait moins puissante que dans son souvenir. D'autres fils d'argent striaient sa chevelure, qu'elle était certaine de n'avoir pas vus six mois plus tôt.

La tendresse l'envahit toute. Elle réprima un élan vers lui. Non, elle n'allait pas devenir « l'autre femme » dans la vie de Ben. Bien qu'elle l'aimât suffisamment pour être capable des pires folies, elle se jura de toujours conserver la raison comme garant d'une conduite qu'elle n'aurait jamais à regretter. Qu'elle l'accepte ou non, Libby existait. Devant ses yeux, passa l'image floue et lumineuse de la blonde qui symbolisait depuis toujours la mort de ses amours avec Dan. Elle ne l'avait jamais rencontrée, ne le souhaitait nullement, ni même d'entendre parler d'elle.

— Je dois m'en aller, déclara-t-elle abruptement.

— Je voudrais que tu restes.

Si douce était la voix qui prononçait cette requête, si chargée d'amoureux souvenirs, qu'un long frisson la parcourut.

Elle dut faire un effort terrible pour chasser son désir.

— Ne me demande pas des choses que nous pourrions regretter, Ben.

— Je n'exige rien de toi en te priant simplement d'accepter de te rasseoir et de parler un moment avec moi.

— Non, ce ne serait pas bien.

— Dani !

Il s'empara d'une main rebelle qui lui résistait, parcourut d'un regard fiévreux le pâle visage de la jeune femme, ses lèvres tremblantes, ses grands yeux verts où brillait un désir inconscient.

— Nous ne faisons rien de mal, déclara-t-il en souriant.

Un sourire indulgent, tendre, qui ne parvint pas à effacer la gravité de ses prunelles.

— Tu as l'air coupable. Comme si quelqu'un menaçait d'ouvrir la porte à tout instant.

Elle rougit violemment.

— Est-ce tellement peu probable ?

— Bien sûr. Je suis chez moi, répondit-il avec une sincère assurance. Tu n'as de comptes à rendre à personne sous mon toit. Michael m'a vu t'emmener. Si quelqu'un pose des questions, il saura répondre.

— Mais tu...

Elle ne put achever sa phrase, ni même déchiffrer sur le beau visage de Ben une réponse probante. D'une caresse légère, il effleura sa joue.

— Qu'est-ce qui devrait me déranger ? s'enquit-il doucement.

Elle ne le comprenait pas. N'avait-il aucun égard pour sa femme, ses amis réunis en ce réveillon de Noël ? Si l'on se conduisait de la sorte dans son monde, elle refusait d'en être complice.

— Je suis désolée, Ben. Je ne puis rester.

Sans paraître l'entendre, il s'était dirigé vers le mur

opposé dont il fit coulisser un pan en appuyant simplement sur un bouton. Derrière se trouvait un bar ; plusieurs étagères étroites supportaient une multitude de verres et de bouteilles.

— Tu ne refuseras quand même pas de prendre un verre pour fêter Noël avec moi ?

Il jeta vers elle un coup d'œil oblique où elle crut voir briller une lueur de défi.

— Portons un toast au bon vieux temps, d'accord ?

Elle soupira longuement, comme si toutes ses forces et toutes ses résistances l'abandonnaient. Pourquoi se conduisait-elle si stupidement, cherchant à voir le mal là où il n'était pas, suspectant chaque mot, chaque geste ?

C'était le soir de Noël, et deux vieux amis évoquaient ensemble leur passé commun... Désireuse d'adopter cette version rassurante, elle oubliait le fol élan qui les avait précipité l'un vers l'autre quelques minutes auparavant, elle oubliait la lame de fond qui l'avait ravie à elle-même pour la réduire au simple écho du passé.

Bref, si Libby entrait à cet instant, cherchant son mari, elle n'aurait aucune raison de se montrer jalouse, ni même soupçonneuse.

Acceptant le verre que lui tendait Ben, elle s'assit, d'un mouvement cependant nerveux, au bord du canapé de cuir. D'étranges frissons, glacés et brûlants, la parcouraient ; machinalement, elle frottait ses mains moites sur la jupe de sa robe noire, regardant partout sauf vers celui qui avait le don de l'émouvoir si fortement.

— Joyeux Noël, Dani, murmura-t-il.

Dans sa voix, une inflexion étrange fit tressaillir la jeune femme.

Plus son embarras s'affirmait, plus elle souffrait d'être incapable de l'endiguer, de le dissimuler. Pareils

62

à des aimants, les yeux de Ben l'obligeaient sans cesse à revenir se noyer en eux, et chaque fois redécouvrir ce trop beau visage la désemparait. Derrière l'expression grave de son regard d'or ensoleillé, elle aperçut cependant un froid éclat de métal qui acheva de la troubler.

A contrecœur, Ben se détourna et traversa la pièce pour aller se servir un autre verre. A son retour, il prit place sur le divan de cuir, tout près de Danielle, trop près.

— Détends-toi, fit-il en entrechoquant doucement son verre avec celui de la jeune femme.

Il avala une longue gorgée avant de poursuivre.

— Dis-moi pourquoi tu es venue ce soir.

Elle sursauta. Une rougeur subite avait envahi ses joues. Elle s'éclaircit la gorge, incapable encore de prononcer un seul mot.

Impossible à présent de s'imaginer en face de l'homme qu'elle avait connu et aimé autrefois. Il avait fait son chemin, elle restait loin en arrière. Cette pièce luxueuse et feutrée, ces meubles de prix, jusqu'aux verres de cristal qu'ils tenaient en mains, tout hurlait la profondeur du précipice qui les séparait désormais.

— Oh, je... Tu as vu, je travaille comme employée de maison, un peu tous les genres de jobs... expliqua-t-elle avec un petit rire. Maurice a contacté mon agence pour avoir quelques extras ce soir. Et me voilà.

— Quelle agence ?

Pour gagner un temps de fait inutile, elle fit semblant de porter son verre à ses lèvres.

— *Higgins' Domestics*.. Une sorte de bureau de placement d'employés de maisons intérimaires... Sur Hay Street.

Ben avait froncé les sourcils. Elle détourna la tête, incapable de supporter l'acuité de son regard.

— Alors, c'est vrai ? Tu ne vis plus à Sydney ? Je te

croyais à Perth pour quelques semaines de vacances seulement, à l'occasion de la convalescence de ta mère. J'ignorais que…

Il n'avait pas bougé mais Danielle crut le sentir tout près d'elle, comme s'il la serrait, l'étouffait.

Son cœur s'affola, s'emballa, sa respiration se fit plus laborieuse.

— Non, tu vois, je ne suis pas de passage. Je suis revenue vivre avec mes parents.

— Pourquoi ?

Abrupte, tendue, cette question la fit frémir. Elle regarda de nouveau Ben. Il ne souriait plus. Ses yeux étaient glacés ; deux lignes dures encadraient sa bouche.

— Pourquoi pas ? répondit-elle, incertaine.

— Je croyais que tu ne pouvais pas te passer de l'agitation et des lumières de la métropole.

— Ce que tu sembles sous-entendre n'était nullement la raison de mon départ pour Sydney, souffla-t-elle d'une voix tout juste audible. Tu t'étais marié, et je… enfin, je ne pouvais pas rester ici.

— Mais aujourd'hui tu reviens, s'exclama-t-il d'un ton de plus en plus froid. Pourquoi, Dani ? Qu'espères-tu gagner ?

— Espérer gagner… répéta-t-elle, abasourdie.

Elle battit des paupières, rougit, trahissant sa confusion. Elle ne s'expliquait pas la colère de Ben, ni son hostilité soudaine.

— Ma mère avait besoin de moi à la suite de son opération. J'ai décidé de rester pour elle, ce n'est pas plus compliqué.

— Evidemment ! railla-t-il sans chaleur aucune. Continue. Les déboires familiaux me passionnent. Raconte. Tout. Dis-moi combien ta mère a souffert, combien elle est malade. Raconte-moi que ton père a perdu son emploi et qu'il boit jusqu'à être ivre mort chaque nuit pour oublier. Tom et Renée ayant déjà chacun un foyer à charge, ton minuscule salaire est désormais tout ce qui fait vivre la maison familiale. C'est cela ?

— Non, c'est faux ! s'écria-t-elle, raide et livide, se refusant à le regarder de peur de ce qu'elle lirait dans ses yeux. Ma mère n'est pas malade. Elle va très bien, merci ! Et mon père part travailler chaque matin, rentre chaque soir ! Il boit un peu, d'accord, mais pas beaucoup plus que n'importe qui. Pas plus que toi et moi à cet instant !

Levant son verre, elle avala une longue rasade de liquide ambré. Il lui brûla un peu la gorge ; elle toussa.

— Qu'est-ce que c'est ?

Ben réprima un sourire.

— Du Cognac. J'ai deviné la façon dont allait tourner notre discussion. Pour ta grande scène tragique, il te fallait quelque chose de fort...

Bruyamment, elle reposa son verre sur la table basse et se mit debout. Abasourdie par sa cruauté, son cynisme, elle ne put que le dévisager sans souffler mot. Jamais il n'avait usé envers elle de cette voix glaciale, de ces mots méchants. Jamais... Il n'était plus Ben. Si, il était Ben... Comprendre tout à coup qu'elle avait en face d'elle un parfait étranger lui infligea une blessure si intime, si violente, qu'elle recula de quelques pas, effrayée.

Aussitôt, elle se rebella contre cette douleur. Non, il fallait dignement porter le deuil de l'homme aimant et attentionné qu'il avait été. Aucune déception ne valait la peine d'en mourir, ou de croire à la fin du monde. Qu'était-il après tout pour elle ? Qu'était-elle pour lui désormais ? Rien. Rien du tout.

— Merci pour le Cognac ; déclara-t-elle avec une

L'attente était si longue. 3.

fière hauteur. Je te souhaite un bon Noël, ainsi qu'à tous les tiens.

Elle avait déjà atteint la porte et s'apprêtait à tourner la poignée lorsqu'une main sur son épaule la paralysa.

— Tu ne vas quand même pas partir maintenant, susurrait Ben, toujours aussi glacial. Pas avant d'avoir obtenu ce que tu es venue chercher.

— C'est-à-dire ? demanda-t-elle en se raidissant davantage.

— Moi.

C'en fut trop. Se dégageant violemment, elle lui fit face, le regarda longtemps, stupéfaite, cherchant dans l'atroce et interminable silence, une confirmation ou un démenti des paroles incroyables qu'il venait de prononcer.

— A moins que tu ne convoites que mon argent ? reprit-il, suave.

Elle n'eut même pas à cœur de le détromper, s'interrogeant seulement et vainement sur les obscures raisons de sa métamorphose. De tout évidence, il lui manquait l'élément clef de la situation. Pour un motif qu'elle ignorait, Ben la croyait revenue ce soir vers lui dans le sombre but de renouer leurs relations d'autrefois... pour de l'argent ! C'était fou, absurde ; elle n'avait pas de mots assez forts. En venant, elle ignorait même qu'il vivait dans cette demeure. Le découvrir avait été un choc terrible.

Chaque fil qu'elle tirait pour tenter de parvenir à la compréhension la perdait davantage. En tout état de cause, Ben ignorait-il que, dans le besoin, il aurait été la dernière personne à qui elle eût osé demander de l'aide ? En premier lieu, elle serait allé trouver son père... Son père ! Voilà sans doute le mot de l'énigme. Son père...

Alors, les paroles de Ben lui revinrent à l'esprit.

66

N'avait-il pas prétendu que M. Williams avait perdu son emploi et qu'il buvait pour oublier ? Comment aurait-il appris cela ? A moins que... Son cerveau s'emballa, son cœur battait la chamade.

« Oh ! Non ! Non, papa, tu n'as pas fait cela ! Même si on t'a licencié, tu n'es pas venu quêter de l'aide auprès de Ben ! Où est ta fierté ? Où est ton orgueil ? »

Un désagréable frisson la parcourut, tandis que la seule hypothèse possible devenait une certitude. Ses mains étaient moites, sa gorge serrée et brûlante. Une sorte de vertige la saisit. Le visage de Ben se perdit dans d'étranges brumes, se redessina, disparut de nouveau.

Elle ferma les yeux, pour échapper à ce cauchemar, pour retenir ses larmes.

Enfin, lorsqu'il lui sembla avoir recouvré un semblant de calme, elle se raidit davantage et osa planter ses yeux éperdus dans le regard d'or. Pour sauver l'honneur de son père, elle devait mentir. Elle n'hésita pas.

— J'ai changé d'avis, Ben. Tout bien réfléchi, je ne veux rien de toi. Ni ton argent, ni toi ; encore moins. Adieu.

Il hésita avant de lui laisser le passage. Une ombre passa sur son visage, furtive. Enfin, il s'éloigna de la jeune femme, la laissant s'échapper sans qu'un seul autre mot fût prononcé.

5

Le regard triste, Danielle errait dans le parc, insensible aux cabrioles de ses neveux qui s'amusaient dans l'herbe avec leur mère.

Le monde lui apparaîtrait-il toujours si gris et morne ? Un désespoir latent, sans éclat, sans scandale, l'emprisonnait dans sa gangue.

Un insolent soleil illuminait King's Park, immense espace vert de cinq cents hectares en plein cœur de la ville. Une brise chaude et paisible agitait le feuillage des arbres centenaires. On était en janvier, le cœur de l'été à Perth, mais Danielle restait aveugle à l'explosion superbe de la nature. Elle conservait devant les yeux, depuis trois semaines maintenant, le visage glacé et hautain de Ben.

La fin d'un rêve, se répéta-t-elle pour la centième fois. Le Ben qu'elle avait connu n'existait plus. Plus terrible encore devenait le fait d'accepter qu'elle continuât malgré tout à l'aimer. Il lui fallait le bannir de son cœur, de son âme.

Plus jamais elle ne plongerait ses yeux dans le lac d'or pour y lire la passion, l'innocence d'un enthousiasme quasi juvénile. Plus jamais elle n'aurait droit à la douce brûlure de son sourire, à la tendresse de son beau visage. Plus jamais elle n'entendrait le son extraordinaire de sa voix qui lui dirait leur avenir commun. Plus jamais elle ne sentirait autour d'elle les bras amoureux, l'étreinte merveilleuse, enivrante autant que protectrice. Plus jamais elle n'aurait dans la sienne le goût de sa bouche. Ben Harper devait se fondre dans la foule des étrangers.

Elle n'avait pas le droit de lui en vouloir de sa conduite le soir du réveillon. Rentrée chez elle, tard cette nuit-là, elle s'était expliquée avec son père. Conversation qui, malheureusement, n'avait plus laissé aucun point d'ombre.

— Oh ! Papa... Comment as-tu pu ?

D'abord, M. Williams avait tenté de nier, de faire diversion, puis, l'alcool aidant, sa langue s'était déliée. Son épouse était partie se coucher. Assis à la table de la cuisine, face à sa fille, une bouteille de scotch devant lui, il commença à parler :

— J'ai perdu mon emploi, Dani. Je tenais à ce que ta mère ne l'apprenne pas. Surtout pas au moment de Noël, et avec sa convalescence... Elle a besoin d'être protégée, rassurée. J'ignore encore comment je vais lui annoncer mon licenciement. Tu comprends, il était plus facile de faire semblant de partir travailler chaque matin.

— Depuis combien de temps mens-tu ainsi ?

— Six semaines, avoua-t-il d'un air coupable et pitoyable.

— Papa ! Où passes-tu tes journées alors ?

S'efforçant de minimiser la stupeur que lui causait cette nouvelle, elle se servit une tasse de café, le sucra et se cala avec une aisance affectée sur sa chaise.

— Je me promène dans le parc, au bord de la mer. Je regarde les bateaux entrer et sortir du port.

— Tout le jour ?

M. Williams devint cramoisi.

— Non, évidemment. De temps en temps, je m'arrête dans un café pour boire un verre.

— Papa...

Nulle trace de ressentiment ou d'accusation dans sa voix, simplement la compassion, la peine.

— Comment as-tu eu l'idée d'aller demander de l'argent à Ben ?

— Tu m'as dit qu'il avait réussi. Je pensais qu'il comprendrait. Je suis allé le trouver le premier décembre. Je lui ai expliqué que nous n'avions plus de revenus, excepté ce que tu gagnais, toi. Il n'y a pas si longtemps, il mangeait encore de la vache enragée, il n'avait certainement pas oublié.

M. Williams s'interrompit un instant pour avaler une large rasade de whisky.

— Mais je ne suis pas arrivé ainsi, pour lui extorquer de l'argent, sans préambule, alors ne t'inquiète pas. Il me reste encore un peu de fierté, malgré les apparences. Je ne voulais pas la charité, je lui ai demandé du travail.

— Pourquoi à lui ?

— Qui d'autre ? argua-t-il âprement. C'est un notable, il jouit aujourd'hui d'une influence considérable. Et il t'a aimée. Tu l'aimes encore, tu me l'as avoué.

Le visage de Danielle s'empourpra, de honte pour son père, surtout.

— Qu'a-t-il dit ? s'efforça-t-elle de s'enquérir calmement.

— Il m'a posé beaucoup de questions. Principalement à ton sujet. Il te croyait mariée, figure-toi. Il avait remarqué que tu portais une alliance quand il t'a rencontrée à l'hôpital le jour de l'opération de ta mère. Il a paru soulagé quand je l'ai détrompé.

— Oh ! Papa...

— Cesse un peu tes « Oh! Papa! » s'exclama-t-il, soudain irrité.

De nouveau, il engloutit la moitié d'un verre. Son regard légèrement trouble se posa sur sa fille, pour fuir aussitôt. Elle avait eu le temps de remarquer le blanc de ses yeux injecté de sang; ses mains tremblaient.

— Il t'aime toujours, Dani. J'en mettrais ma tête à couper. Tu étais son premier amour et il ne t'a jamais oubliée. Tu comptais trop.

— Oh! Pa...

Elle se mordit la lèvre. La situation se révélait pire qu'elle ne l'avait cru tout d'abord. Comment son père avait-il osé se servir de ses sentiments les plus intimes, d'une histoire morte depuis si longtemps? Elle le dévisagea avec une immense amertume.

— Ne comprends-tu pas que tout est fini entre Ben et moi? Tu as eu tort de miser sur le passé. J'espère qu'il t'a refusé son aide.

M. Williams se raidit, sans quitter des yeux le visage livide de sa fille.

— Pas du tout. Je commence à travailler pour lui dès le début de l'année.

— Je vois...

— Tu ne vois rien du tout, rétorqua son père.

Il garda quelques instants le silence avant de poursuivre d'une voix plus dure.

— Il m'a trouvé une place sur une plate-forme d'extraction de gaz, au nord du continent, énonça-t-il. Je dois convaincre ta mère de m'accompagner.

— Mon Dieu, elle a toujours dit qu'elle ne serait heureuse nulle part ailleurs qu'ici, souffla Danielle. Tu ne peux l'obliger à déménager.

— Si, c'est l'une des conditions qu'a imposées Ben Harper. Elle doit venir avec moi, sinon je n'ai pas l'emploi. Comment alors lui rembourserais-je l'avance qu'il m'a consentie ?

— Une avance ? répéta-t-elle, de plus en plus abasourdie.

— Oui, cinq mille dollars, répliqua M. Williams, sur la défensive. J'étais complètement à court d'argent. Dans le nord, il me faudra louer un appartement, et puis je tenais à vous faire de beaux cadeaux de Noël à tous...

Une infinie tristesse voilait à présent le regard de sa fille.

— Et... quelles sont les autres conditions ?

Nerveusement, il avala encore une rasade de whisky.

— C'est difficile à dire...

Le silence fut pesant ; un frisson de crainte parcourut la jeune femme.

— Il veut que tu ailles le trouver pour lui demander son aide, avoua-t-il enfin, d'une voix à peine audible.

L'horreur, la pire des révoltes la firent se redresser. Elle tremblait de tous ses membres.

— Et puis, tu le remercieras, ajouta-t-il avec un calme terrifiant.

— Non ! s'écria-t-elle. Non !

Jamais Ben n'aurait imposé pareille condition. Pas lui. Il n'aurait pas voulu piétiner ainsi sa fierté. M. Williams parut choqué à son tour de la réaction de sa fille. Pour la première fois, elle le voyait tel qu'il était : égoïste, faible, complaisant, ployant l'échine devant plus fort que lui. Avec sa chemise chiffonnée, sa cravate de travers, son regard voilé, son visage congestionné, il lui apparut comme le plus pitoyable des hommes. Ivre de surcroît.

S'efforçant de rester calme, elle prit sa tasse de café, la vida dans l'évier. Son esprit n'était que feu, rage. Cette conversation lui donnait la nausée.

— Comment Ben a-t-il pu imposer cette condition ? murmura-t-elle d'une voix tremblante. Et comment, toi, as-tu pu l'accepter ? N'as-tu pas mesuré l'avilissement que ce serait pour moi ? Tu es donc...

Elle se tut, incapable de confondre et d'humilier son père à son tour.

— Je n'avais pas le choix, Dani. Il était mon ultime recours.

— Je comprends, reprit-elle avec une amertume mêlée de dégoût, pourquoi il s'est conduit de cette façon avec moi ce soir-là. Il croyait évidemment que tu m'avais envoyée à lui !

M. Williams cligna péniblement des paupières. Sa voix devenait de plus en plus lente, pâteuse.

— De quoi parles-tu ?

— Le réveillon où je travaillais avait lieu chez Ben.

Aussi vite que le lui permettait l'ivresse, il tenta de se mettre debout.

— Alors, tu l'as vu ? Dis-moi, tu... tu n'as quand même pas gâché toutes mes chances...

La monstruosité pitoyable de son père n'aurait-elle pas de limites ?

— Ne t'inquiète pas, répondit-elle avec un rire désespéré. Mais sais-tu seulement... ?

Elle s'interrompit. A quoi bon ? Le souvenir de son humiliation resterait à jamais gravé en elle. Ben s'était attendu à ce qu'elle le supplie... Pourquoi, mon Dieu ? Pourquoi ? se répéta-t-elle mille fois cette nuit-là, incapable de trouver le sommeil.

L'année s'acheva. A force de réfléchir, de chercher, Danielle trouva la seule réponse plausible. La vengeance. Ben avait tenu à lui rappeler la douleur qu'elle lui avait infligée six ans plus tôt. La mesquinerie de cette revanche ne laissait pas de la stupéfier. C'était indigne de lui. Elle se sentait trompée, trahie, dans l'image trop parfaite qu'elle avait gardée de Ben. Il chutait soudain de son piédestal. Après tout, il n'était qu'un homme, avec les défauts, les failles de tous...

— Dani ? M'as-tu entendue ?

Cet appel la tira brusquement de sa longue rêverie. Battant des paupières, elle découvrit sa sœur en face d'elle. Ses pensées l'avaient entraînée si loin qu'elle fut surprise de se retrouver dans le parc avec Renée.

— Pardon, je réfléchissais. Tu me parlais ?

Renée s'agenouilla près d'elle et lui prit la main en soupirant.

— Aucune importance. As-tu envie de me parler de lui ?

— Lui ? Qui donc ?

— J'aimerais justement entrer dans la confidence. Seul un homme est capable de te cacher combien il fait beau aujourd'hui. Alors, dis-moi tout : qui finalement a su remplacer Ben Harper ?

Danielle esquissa un pauvre sourire.

— Je pensais à papa.

— Trêve de mensonges ! gronda Renée en allongeant devant elle ses jambes bronzées.

— Je t'assure ! Je me demandais comment il avait convaincu maman de l'accompagner dans le nord. Vendre la maison, et tout... Elle s'en est acquittée de si bonne grâce... Papa ne m'a rien raconté, sinon qu'elle était d'accord.

— L'argent est un excellent stimulant, répliqua Renée, un peu amère. De toute façon, maman s'est rendue à l'évidence. Il leur fallait à tous deux un changement important. Maintenant que leurs trois enfants sont élevés... Tu n'ignores pas que le salaire de papa là-bas est mirobolant.

— Vraiment ? fit sourdement Danielle.

74

La générosité de Ben envers son père ne cadrait pas tout à fait avec l'idée de vengeance.

— Moi, reprit sa sœur, je m'étonne qu'il ait trouvé une situation aussi brillante à son âge... et juste quand il en avait le plus besoin.

Danielle suivit son regard dans la direction des deux garçonnets qui gambadaient autour d'un bassin, un peu plus loin. Si leur père n'avait pas jugé utile d'avouer à ses autres enfants le rôle de Ben dans sa subite promotion, elle n'allait pas s'en acquitter à sa place.

— La chance, pure et simple.

— Mmm... souffla Renée sans conviction aucune. Et comment a-t-il pu t'inscrire dans une école d'art aussi chère, en guise de cadeau de Noël ? La chance encore ?

— Sans doute, répondit-elle entre ses dents.

— Tu me caches quelque chose, petite sœur. Sinon, pourquoi refuses-tu d'assister à tes cours ? Tu as obtenu ce dont tu avais toujours rêvé, et tu le boudes...

— Je t'en prie, Renée.

— Tu ne me feras pas taire aisément. Tu es trop secrète et trop triste, ces temps-ci. Je soupçonne une histoire avec Ben Harper.

Danielle partit d'un rire forcé.

— Epargne-moi ton imagination galopante. Il n'est nullement question de Ben Harper.

— Je ne te crois pas. Tu es trop solitaire. Tous les hommes qui t'ont proposé de sortir avec eux se sont vus essuyer un refus. Tu continues à les trouver sinistres, à côté de ton grand amour !

Danielle secoua faiblement la tête. Les attentions de Renée la fatiguaient, mais peut-être avait-elle trop montré à tous la profonde détresse qui l'empêchait de vivre normalement. Après le départ de ses parents pour le nord, elle s'était installée chez Renée et Jack, en attendant de trouver un logement. Sans s'en rendre compte, certainement, Renée devenait de plus en plus envahissante.

Le visage de cette dernière s'éclaira soudain d'un sourire triomphal.

— Oh ! Tu as l'air coupable. J'ai donc raison ! Ton cœur continue bel et bien à ne battre que pour Ben. Voilà qui nous ouvre de nouvelles perspectives... Par exemple, je ne serais pas tellement surprise s'il avait donné à papa...

Devant le sursaut de Danielle, elle ouvrit grand les yeux et s'exclama, effarée.

— Non ! Tu ne vas pas me dire... ? D'accord, il a donné à papa... l'argent et le travail.

Sa sœur lui jeta un coup d'œil désespéré.

— Oui, fut-elle obligée d'admettre. Parce que papa est allé mendier auprès de lui.

Cet aveu coupa toute répartie à la volubile Renée.

— A présent, tu sais, déclara Danielle en se mettant debout. Tu comprends maintenant pourquoi je suis tellement en colère, et pourquoi je refuse d'aller à l'école d'art !

Eclatant en sanglots, elle tourna les talons et se mit à courir. Le premier instant de stupeur passé, Renée la rejoignit. Elle avait rassemblé leurs affaires, appelé ses deux fils qui suivaient en musardant. Danielle refusa de rentrer à la maison : elle désirait encore se promener dans le parc.

Longtemps, elle demeura seule, assise sur une souche d'arbre, à contempler le déclin du soleil. Elle avait atteint la partie du parc qui surplombait la mer. Le couchant sur les flots aurait dû la calmer, la pacifier mais elle restait incapable du moindre instant de repos, d'un semblant de détente. Quelques lumières s'allumèrent bientôt dans des immeubles de bureaux derrière les arbres. Elle se demanda si, à cette heure-ci, Ben travaillait encore, ou s'il était déjà rentré chez lui pour, rejoindre les siens.

Les souvenirs affluaient, brûlants. Avec Ben, autrefois, souvent, ils étaient venus se promener dans cette partie du parc, main dans la main. Tard le soir, ou très tôt le matin, le vent se mettait à souffler depuis l'Océan Indien, baignant la ville de fortes senteurs iodées...

Oh! Pourquoi la moindre de ses pensées la ramenait-elle à Ben? Il aurait dû être mort pour elle, ne plus exister.

— Dani? appela soudain la voix tant aimée.

Elle tressaillit violemment. Voilà qu'elle était victime d'hallucinations!

— Je pensais bien que c'était toi. Je viens souvent ici, mais je ne t'y avais encore jamais rencontrée.

Lentement, elle fit volte-face, certaine qu'il ne serait pas là, qu'il s'agissait d'un tour de son imagination trop fertile. Il devait être chez lui, à table avec son épouse et quelques amis distingués. Elle croyait entendre le pas feutré d'une servante sur le parquet poli, le doux murmure d'une conversation sans heurt, le bruit délicat des couverts d'argent sur la porcelaine de Chine...

Non. Ben était là, en chair et en os, seul. Grand et superbement beau avec le col de sa chemise blanche ouvert, sa cravate dénouée, sa veste grise jetée sur l'épaule. Il souriait. C'était lui. Personne d'autre ne possédait cette grâce indolente, cette chevelure noire et soyeuse qui persistait à balayer son front de mèches indisciplinées. Personne n'avait ce magnétisme, capable de faire frissonner la jeune femme de plaisir à sa seule vue.

Se découvrir ainsi à la merci de son charme, de sa sensualité... Elle se leva.

— Je partais justement, murmura-t-elle.

Ben posa une main sur son épaule.

— Non, ne t'en va pas.

Elle jeta alentour un coup d'œil anxieux. Ils étaient seuls dans l'obscurité crépusculaire du parc, avec pour tout témoin de leur étrange rencontre quelques oiseaux qui fôlatraient de branche en branche, les fleurs sauvages au lourd parfum, le grondement sourd de l'océan.

— Tu as peur de moi, Dani. Jamais je n'ai souhaité cela.

Sa voix ne recélait que tendresse. Muette, elle le regarda s'asseoir sur la souche, s'installa, contrainte, à côté de lui. Malgré la pénombre, elle distinguait ses traits empreints d'une immense fatigue, son regard comme hanté. Elle souffrit de les remarquer, d'en être affectée. Pour une obscure raison, il semblait troublé, vulnérable. Elle en fut stupéfaite car jamais elle ne l'avait vu démuni, dépourvu de force. Ne le touchait que ce qu'il laissait le toucher.

— Je n'ai pas peur de toi, fit-elle, balbutiante, avant d'incliner subitement la tête vers le sol.

Torture insupportable que de se retrouver assise près de lui, si proche mais séparée de lui par un monde entier. Quoi ! Ne l'avait-il pas infiniment déçue, blessée ? Cet homme vengeur et mesquin n'aurait pas dû l'émouvoir une seconde. Il avait contraint ses parents à déménager, l'avait obligée, elle, à quitter de ce fait la demeure familiale, à renoncer à son rêve d'étudier sérieusement la peinture. Il était trop fin pour ne pas deviner qu'apprenant son geste faussement généreux, elle refuserait des études payées de trop d'humiliation.

— Dani, répéta-t-il lentement.

Quand elle trouva la force de le regarder, il ne put se retenir de lui caresser la joue.

— Je t'en prie...

— Non, rétorqua-t-il, c'est moi qui te supplie...

Il s'empara de sa bouche, sans dureté, san intention

de punir ou de blesser, seulement un profond baiser qui l'anéantit. Toute résistance envolée, elle lui répondit. Ben était revenu, Ben était vivant. Six années s'effacèrent.

Les lèvres de Ben posées sur les siennes, l'aisance avec laquelle leurs deux corps s'épousaient lui donnèrent la merveilleuse et déroutante impression d'être de retour « à la maison », au terme d'une trop longue absence. Tout reprenait sa place. Ben n'avait jamais été un autre. Elle le retrouvait avec sa tendresse, son pouvoir de l'affoler. Il savait lui prendre le visage, lui caresser les reins pour allumer en elle le plus intense désir.

Alors son corps entier ne fut plus qu'abandon, presque douloureux, parce que Ben se jouait de sa bouche, la prenant, la quittant pour mieux la prendre. Il n'étreignait pas avec force ce corps offert, se plaisant à le mener en une danse savante à une reddition plus évidente encore. Fiévreuse, elle jeta les bras autour de son cou, se pressa contre lui, approfondissant leur baiser qu'elle souhaitait fusion.

Sa soudaine offensive désarma Ben. Il perdit tout contrôle. Suppliant à son tour, affamé d'elle, passionné, il l'emprisonna dans une étreinte qui la broya toute. Elle fut plus que consentante entre ses bras. Leur désir jusqu'alors contenu se fit incendie.

Les mains de Danielle se perdirent dans la chevelure soyeuse et drue à la fois, découvrirent la nuque frémissante sous la caresse, le doux lobe des oreilles, le dos puissant et musclé. Chaque courbe lui était un délice, Chaque frisson de plaisir un émerveillement. Leurs cœurs battaient à l'unisson, ne faisant plus qu'un.

Ben était feu, plus fort que l'eau dormante où la jeune femme avait sommeillé pendant six longues années. Elle se découvrait vivante, ravie, au paroxysme de la joie.

— Dani, Dani, j'ai envie de toi, murmura Ben d'une voix altérée.

Ses lèvres brûlantes glissèrent dans le cou de Danielle, vers la naissance de sa gorge dénudée.

— Jamais je n'ai cessé de te désirer, reprit-il, le souffle de plus en plus court. J'ai cru que l'occasion m'était donnée de me venger, je me trompais. C'est toi que je voulais, seulement toi, toujours toi !

Irradiée, lumineuse, elle renversa la tête en arrière. Sa brune chevelure lui faisait une longue et sombre couronne. Les boutons de son chemisier avaient sauté. Ses seins étaient fermes et doux sous la caresse avide des mains de Ben. Son sang coulait plus vite dans ses veines, son cœur explosait. A cet instant, elle voulut donner à Ben tout ce qu'elle avait à offrir. Elle l'aimait plus qu'aucun homme n'avait jamais été aimé. Oubliés alors ses blessures, ses humiliations, son orgueil bafoué, son amour-propre. Elle ne se souvient plus qu'elle étreignait un homme marié, un homme qui avait tenté de se venger d'elle. Les événements récents se perdaient dans un épais brouillard. Seules importaient les mains de Ben, la bouche de Ben.

L'obscurité s'était accrue autour d'eux, les enveloppant, les isolant dans son doux manteau d'ombre. Ils étaient seuls dans le parc avec la brise et les parfums de fleurs, d'écorce humide.

Le plus beau des rêves pour Danielle devenait réalité. Il lui sembla que la nature entière à cet instant chantait un hymne à l'amour, à l'ivresse des sens.

Elle ne sut pas à quel moment elle avait déboutonné la chemise de Ben. Son torse était nu, offert à l'étreinte, doux et brûlant. Elle n'avait pas assez de ses lèvres, de ses doigts, de chaque parcelle de sa peau pour le découvrir.

Soudain, mesurant la passion qui les emportait, la

violence du désir que bientôt ils ne sauraient plus endiguer, Danielle reprit conscience de la réalité qui les séparait. A contrecœur, étouffant un sanglot de regret, elle s'éloigna légèrement de l'homme qui la tenait embrassée. Elle n'avait pas le droit de l'aimer de cette façon. Ses mains se firent inertes sur sa poitrine; elle chercha son regard, à peine éclairé dans la nuit tombante par la lune naissante au-dessus des arbres.

Le désir assombrissait les yeux d'or. Elle dut faire un terrible et douloureux effort pour ne pas écouter son cœur, son corps, mais seulement sa conscience, sa raison, s'il lui en restait! Les traits d'ordinaire si volontaires du beau visage de Ben s'étaient métamorphosés, trahissant son désarroi, sa vulnérabilité. Il sembla à Danielle que le silence total se faisait autour d'eux, comme si le temps, la vie même s'étaient suspendus.

Ce qu'elle lut dans le regard de Ben acheva de la troubler. Elle comprit qu'il venait de lui redonner le pouvoir de le blesser, comme six ans plus tôt, comme du temps de leur amour. Il s'abandonnait à elle, pour le meilleur ou pour le pire. D'abord son cœur se gonfla de joie, une joie qui vira très vite à l'angoisse. Son corps brûlant lui parut mourir, s'éteindre, une peine infinie s'insinua en elle. Non, elle lui avait déjà trop fait mal, pour rien au monde elle ne recommencerait. Elle aurait voulu le supplier de la laisser seule pour pleurer toutes les larmes de son corps. Demeurer près de lui, lui donner ce que leurs sens exigeaient n'aboutirait finale-ment qu'à le faire davantage souffrir, le déchirer parce qu'il aurait trahi son épouse en renouant avec un passé qu'il aurait dû étouffer.

Tremblante, incertaine, elle referma maladroitement son chemisier. Sa respiration demeurait irrégulière, comme des sanglots étouffés.

— Je regrette, Ben, murmura-t-elle d'une voix rauque, brisée. Je ne peux pas.

— Tu ne peux pas... quoi ? s'enquit-il sans bouger.

— J'ignore pourquoi tu es venu à moi quand tu m'as vue tout à l'heure... pourquoi même tu me désires. Peu importe, je ne peux pas.

Ben se taisait. Malgré l'obscurité, il fut bouleversé par l'étrange éclat des yeux verts de la jeune femme, la triste expression de ses lèvres très pâles à présent. Jamais elle ne lui était apparue si belle que là, tremblante, désemparée après avoir été la proie d'une passion ravageuse. Ses jambes se détachaient sur la nuit, longues, superbes. Sa chemise claire achevait de dessiner sa superbe silhouette. Ses cheveux épars sur ses épaules se confondaient avec la nuit. Dans un élan irrépressible, il s'approcha d'elle, s'arrêta juste avant de la toucher, les mains prêtes à une caresse, une étreinte qu'il s'obligea à réprimer.

— Notre histoire ne s'est pas achevée il y a six ans, fit-il calmement. Elle continue.

La gorge de Danielle se serra. D'amères larmes jaillirent de ses paupières ; elle ne pouvait les contenir plus longtemps.

De nouveau, comme le dernier sursaut d'une agonie, tout son corps s'embrasa du plus ardent désir. Entendre Ben affirmer ce qu'elle avait toujours su au plus intime d'elle-même, la pénible et délicieuse certitude qui lui avait permis d'exister tout en l'empêchant de vivre, achevait de la perdre, de la noyer dans les flots de leur impossible amour. Soudain, Ben lui rouvrait les portes du possible, portes qui se refermeraient très vite, avec violence.

Dédoublée, déchirée entre la passion et la raison, elle savait le gouffre qui les séparait pour toujours, celui des blessures mutuellement infligées, des malentendus, des échecs d'une jeunesse inconsciente, un passé injuste. Pas d'issue de secours, pas de voie nouvelle.

Et puis, il y avait sa femme. Elle résumait, symbolisait à elle seule tous les obstacles.

— Notre histoire continue ? s'entendit-elle répéter d'une voix dure. Que dirait Libby si elle t'entendait ?

La tête de Ben se renversa soudain en arrière, comme si on lui avait porté le coup le plus violent. Lentement, avec une évidente difficulté, il recouvra un semblant de contrôle. Ses poings serrés, sa pâleur mortelle n'échappèrent pas à Danielle.

Sans la quitter des yeux, silencieux, il s'assit sur la souche morte. Les mots jaillirent enfin, murmure lourd de colère.

— Libby est morte, Dany. Tu ne le sais pas ? Si elle était en vie, crois-tu sincèrement que je serais là ce soir avec toi, cherchant à renouer avec notre passé ?

6

Le dégoût et l'aversion qu'elle perçut dans la voix de Ben, pétrifièrent Danielle autant que l'annonce de cette terrible nouvelle. La honte, l'embarras, la stupeur se la partageaient. L'espace d'un instant, tout éclat de vie sembla avoir déserté son visage. Elle se cramponna à un vague sursaut d'indignation douloureuse.

— C'est bien ce que je pensais, murmura-t-elle.

Elle accusait directement Ben de duplicité, de calcul. Il ne broncha pas, mais ses yeux se fermèrent, ses traits se déformèrent sous le coup d'une étrange déchirure. Ses lèvres tremblaient violemment. Il se détourna, comme s'il tentait de se cacher de Danielle.

— Pardonne-moi, Ben, souffla-t-elle aussitôt, honteuse de sa franchise égoïste. Je... J'ignorais pour Libby.

— Vraiment ? fit-il en revenant à elle. C'était écrit dans tous les journaux.

Son incrédulité hautaine eut le don de la révolter.

— Je n'ai pas l'habitude de lire le carnet mondain !

Là encore, elle regretta très vite. Ben avait poussé une exclamation peinée, douloureuse. Il ne méritait pas sa cruauté.

— Pardon ! Pardon ! répéta-t-elle. Je dis n'importe quoi.

Instinctivement, elle se rapprocha de lui, posa une main sur son bras. Le recul de Ben acheva de la blesser mais une importante question lui brûlait les lèvres.

— Que s'est-il passé ? Etait-elle malade ? S'agit-il d'un accident ?

Une lueur qui ressemblait à de l'espoir traversa furtivement les prunelles de Ben.

— Tu n'étais vraiment pas au courant ? Elle a succombé à la naissance de Christopher.

— Christopher ?

— Mon fils, répondit-il d'une voix blanche.

La stupeur de Danielle ne connut plus de bornes.

— Mais j'étais avec toi ce jour-là, à l'hôpital. Le médecin est venu te dire qu'elle allait bien !

Ben se taisait. Il dévisagea la jeune femme avec une expression de tristesse, mêlée de honte et d'angoisse.

— Je l'ai cru moi aussi, mais tu sais comment sont les médecins. Ils n'annoncent jamais franchement les drames. Il s'est contenté de faire entendre qu'elle l'avait échappée belle. En réalité, elle était dans le coma ; elle n'a pas repris conscience. Il a dit qu'elle souhaitait me voir parce qu'elle était perdue ; il le savait déjà. Quand je suis arrivé à son chevet, elle était morte.

Sa voix se brisa. Il enfouit son visage dans ses mains, trahissant son tourment.

Danielle ne sut trouver les mots qui l'auraient réconforté. Aucune parole ne lui semblait adéquate. Assise près de Ben, elle le sentit trembler violemment. Il recommença à parler d'un ton saccadé, empreint de peine.

— Ma femme se mourait et j'étais avec toi. Je m'en souviens, je te tenais même la main.

Il devint difficilement audible.

— Cette alliance d'or à ton annulaire gauche... Je n'avais qu'une obsession, qu'une seule idée en tête : tu étais mariée... Tu appartenais à un autre homme. Tu en aimais un autre. Pas moi.

Il releva lentement la tête. Il pleurait.

— Ma femme mourait et je ne pensais qu'à toi, je ne voyais que toi !

Vert et or, leurs regards s'accrochèrent, se fondirent, et Danielle comprit.

Ben n'avait cessé de l'aimer, jusqu'à ce soir fatal à l'hôpital. A présent, il la haïssait. Dans son trouble, il l'accusait indirectement de la mort de son épouse.

Son sang se figea dans ses veines.

— Tu parles comme si nous avions prévu de nous rencontrer là, Ben, balbutia-t-elle avec difficulté.

— Prévu ? répéta-t-il.

De toute évidence, cette idée ne lui avait jamais effleuré l'esprit. Il tressaillit, passa une main nerveuse sur son visage avant de s'enfermer dans un silence désespéré.

Comme souvent les gens malheureux, il se trompait du tout au tout, constata Danielle, échafaudant une histoire à partir de données fallacieuses. Elle décida de lui faire comprendre qu'en attendant avec elle, il n'avait en rien trahi son épouse.

— C'est un accident, commença-t-elle après un long silence. Le hasard a voulu que nous nous trouvions dans le même endroit au même moment, rien de plus. Ma mère était opérée, Libby accouchait ; nous étions tous deux relégués dans la salle d'attente. Tu étais bien la dernière personne que je m'attendais à croiser ce jour-là.

Ben releva la tête. Furtif encore, un éclair illumina son regard voilé par les larmes. Espoir vite disparu. Elle sut qu'il aurait aimé la croire, mais, irrationnelle, omnipotente, la culpabilité continuait à le tenailler.

— Tu n'as rien à te reprocher, reprit-elle d'une voix

où ne perçait aucune émotion. Et tu n'as pas de raison de me haïr. Nous n'avons rien fait de mal.

— Moi si, rétorqua-t-il amèrement. J'aurais dû être auprès de Libby.

— Si le règlement des hôpitaux n'était pas aussi absurde...

Ben faiblissait, pour mieux plonger de nouveau dans ses remords.

— Elle avait besoin de moi, et je n'étais pas là.

— Tu étais aussi proche d'elle qu'il était possible.

— Je l'ai trahie.

— Tu n'as trahi personne. Tu étais là. Elle n'en a pas douté une seconde.

— Elle était seule !

Le mépris, le dégoût déformèrent une fois encore ses traits.

— J'étais avec toi.

Une affreuse tension se glissa entre eux.

— Oh ! Non, Ben, je n'accepte pas d'être tenue pour responsable, fit Danielle le plus calmement qu'elle put. J'ai commis beaucoup d'erreurs à ton endroit, mais pas celle-là. Ce soir-là, je suis restée avec toi car j'estimais que tu avais besoin d'une compagnie. J'étais presque heureuse, je l'avoue : j'avais l'impression de panser d'une certaine façon les blessures que je t'avais infligées par le passé. J'ignorais que tu en tirerais une nouvelle raison de me mépriser. Si c'était à refaire, Ben, je le referais, sans hésiter. Dis-toi bien une chose, ajouta-t-elle avec un regain de force et de fierté, assise à tes côtés ce soir-là, te tenant la main, je n'ai rien pris à Libby.

Bien qu'il eût le visage tourné vers elle, Ben ne semblait plus la voir, perdu dans son abîme. Soudain cependant, il parut s'éveiller, reprendre vie, pour lui adresser encore un reproche :

— Pourquoi n'es-tu pas partie dans le nord avec tes parents ?

Elle marqua une hésitation, ne comprenant pas la logique secrète de ses pensées.

— Est-ce ce que tu attendais de moi ? questionna-t-elle enfin.

— Exactement. Je n'avais pas prévu que tu t'installerais ici sans eux.

S'efforçant au calme, elle aspira profondément.

— Je suis désolée de t'avoir déçu, mais tu t'es trompé en croyant pouvoir me manipuler à loisir.

— Je n'ai manipulé personne.

— Si. Tu cherchais à me punir de t'avoir quitté autrefois. Tu savais que je n'avais pas d'autre famille que mon père et ma mère. Alors, en les envoyant au diable...

— Au diable ? répéta-t-il en l'interrompant. J'ai donné du travail à ton père.

— Un prétexte.

— J'essayais de l'aider.

— Avec mes supplications et mes remerciements à la clef ! Dis-moi, Ben, comment espérais-tu que je te manifeste ma gratitude ? Dois-je deviner ?

— Tu te trompes, fit-il sombrement.

— Vraiment ? reprit-elle avec une rage croissante, incontrôlable. N'était-ce pas l'une de tes conditions ? Que je reconnaisse la générosité, la magnanimité du grand Ben Harper volant au secours de celle qui autrefois ne l'avait pas jugé assez bon pour elle ?

Le corps de Ben fut agité d'un violent sursaut, comme si elle venait de lui asséner un coup mortel. Elle se tut, le visage en feu, stupéfaite des mots qu'elle venait de prononcer ; elle se figea, croyant entendre résonner dans la nuit l'affreux aveu qui lui avait échappé. Il n'y eut bientôt plus que ses sanglots.

— Alors, c'est pour cette raison ? murmura Ben avec un calme terrifiant. Je me demandais si tu aurais un jour le courage de me le dire.

Danielle aurait voulu nier, rejeter la faute sur l'habileté de sa mère... Elle en fut incapable. Jamais elle n'avait, en toute conscience, jugé Ben pas assez bien pour elle, mais sa trop grande jeunesse... Adulte à présent, elle comprit qu'il était idiot de se cacher la vérité à elle-même. Quelles qu'aient été les manipulations de sa mère, c'était elle, et elle seule, qui un jour avait dit adieu à Ben.

Ses sanglots ne connurent plus de retenue. Elle ne chercha pas à les refouler, simplement, ils se firent plus abondants et curieusement silencieux, flot acide qui la ravageait. Ben avait dit tout à l'heure que leur histoire n'était pas finie. Elle sut qu'elle venait de refermer définitivement le livre.

Le passé lui apparut soudain sous son jour véritable, non plus empreint du halo doré de la légende. Elle eut honte de sa lâcheté. Lâcheté qu'elle ne s'était jamais avouée, préférant jeter tout le blâme sur sa mère. Pour la première fois, elle se regardait en face. Elle se vit. Métamorphosée. Envolée l'adolescente innocente, manipulée par une mère abusive. Une seule raison expliquait désormais sa rupture, son rejet de Ben : elle n'avait pas eu confiance en lui. Sinon, jamais elle ne l'aurait quitté.

Une fois le premier pas fait, elle revit la façon dont elle était partie. Pas un mot d'explication. Elle avait préféré feindre l'amour mort, sachant pertinemment que Ben se consumait pour elle. Sous ce jour, elle cumulait les fautes, les lâchetés. Partant sans daigner s'expliquer, elle avait inconsciemment choisi de se garder la porte ouverte, au cas où, plus tard, elle choisirait de revenir vers Ben. Elle n'avait même pas eu la décence de le libérer d'elle.

La place nuisible qu'elle avait occupée entre Ben et sa femme lui fit horreur. Elle s'était conduite de façon à ce qu'il demeure sous sa dépendance. Elle n'en voulait plus mais l'avait gardé prisonnier. Simplement par manque de foi en lui, parce qu'elle n'avait pas cru que Ben conjuguerait le futur au mieux de leur amour.

Se fustigeant mentalement, elle n'oubliait pas non plus l'ironie qui avait voulu qu'ils échangent leurs rôles.

« Oh ! Ben, comment ai-je pu t'imposer cela ? Comment ai-je pu tenter de te détruire ? » pensa-t-elle, désespérée.

Le corps douloureux, broyée par ce qu'elle venait de découvrir, elle se leva sur ses jambes tremblantes, s'obligea à faire face à Ben. Balayant du revers de la main les larmes sur son visage, elle essaya de parler. Les mots ne vinrent pas aisément.

— Pardonne-moi, Ben. Du fond du cœur, je te supplie de me pardonner. Si je pouvais revenir en arrière, abolir... C'est impossible, je sais, ajouta-t-elle avec un rire amer. Peut-être un jour accepteras-tu de me pardonner. Je ne te blâmerai pas si tu ne le fais pas. Mais... un jour... qui sait...

Il y eut un infini silence. La lune les éclairait assez pour leur permettre de se voir. Ben la regardait. Elle ne sut même pas s'il comprenait le sens de ses paroles. Peut-être imaginait-elle la douloureuse amertume qui déformait ses traits, le tremblement de sa bouche. La brise vint balayer les mèches égarées sur son front. Alors, comme s'il ne supportait plus de la voir, il soupira, détourna la tête, la répudiant sans un mot.

Le cœur de Danielle se brisa. C'était fini. Cette certitude fit passer un souffle de mort en elle.

Elle trouva cependant la force de s'éloigner. D'un

pas mécanique, elle foulait sans en avoir conscience l'herbe grasse, les fleurs sauvages aux parfums enivrants. L'obscurité la happa vers les profondeurs du parc.

Quand Ben tourna de nouveau la tête, elle avait disparu.

Des semaines durant, il sembla à Danielle qu'elle marchait péniblement au bord d'un précipice, attendant le faux pas qui la précipiterait dans le gouffre. Elle s'efforçait de ne pas penser à Ben. Sans signe, sans nouvelles de lui, elle ne s'étonna pas vraiment de ce silence. Obsédée par l'expression tourmentée de ses yeux d'or, par sa raideur hostile, par le souvenir de sa propre angoisse, elle se répétait chaque matin qu'il lui faudrait vivre désormais avec ce poids.

Le début de l'automne marqua une légère amélioration. Elle commençait à se pardonner, à accepter son terrible échec, à se regarder dans une glace sans frémir de honte.

C'est fini, c'est fini, se répétait-elle.

Renée ignorait ce qui se passait ; elle se contentait d'en constater tristement les résultats.

— Tu deviens maigre à faire peur, remarqua-t-elle un soir de mai, après le dîner.

Par la fenêtre de la cuisine entrouverte leur parvenait une brise mordante, chargée des senteurs de feu de bois d'un jardin voisin. Jack avait emmené les garçons faire une promenade nocturne tandis que les deux sœurs terminaient la vaisselle.

— Vas-tu continuer longtemps à te détruire, te ronger ?

Sans cesser d'essuyer les assiettes, Danielle s'efforça de soutenir le regard inquisiteur de Renée. Un éloquent soupir échappa à cette dernière. Elle posa sur ses hanches ses mains encore savonneuses, évoquant irrésistiblement pour sa sœur l'image de leur mère.

— Jack me conseille de me mêler de ce qui me regarde, reprit-elle, mais je me sens malgré tout responsable de toi. Ne te méprends pas : je ne te demande pas de comptes sous prétexte que tu vis sous mon toit, mais je t'ai bien observée lorsque nous sommes allées ensemble rendre visite à papa et maman. Au lieu de te reposer, tu as passé deux jours entiers à nettoyer leur maison de la cave au grenier. Tu étais censée prendre des vacances ! Tu travailles jusqu'à épuisement pour ton agence. Jamais tu n'as refusé aucune proposition, même les plus pénibles. La nuit, alors que tout le monde dort depuis longtemps, j'ai souvent remarqué de la lumière dans ta chambre. Que cherches-tu au juste ? L'épuisement ? La dépression ? L'oubli total de toi-même ?

— Pas du tout, répondit Danielle avec un sourire qui n'abusa pas sa sœur une seconde. J'aime l'activité. Les parents étaient soulagés de mon aide. Quant à mon travail, Miss Higgins sait qu'elle peut toujours compter sur moi. La nuit, j'essaie de peindre pour ne pas trop perdre la main. Je regrette, Renée, de te déranger.

— Tu ne me déranges nullement, tu le sais. Je crois deviner la cause de ton hyper-activité, mais ce n'est pas sain. Maman la première m'a fait remarquer combien tu avais l'air épuisée. Même papa s'est aperçu du changement, depuis qu'il a cessé de boire.

Danielle saisit la première occasion d'orienter différemment la conversation.

— Qui aurait cru, lorsqu'il est parti, qu'il suivrait avec succès une cure de désintoxication ? murmura-t-elle avec une tendresse rêveuse. Finalement, ce changement lui a été entièrement bénéfique. Un nouveau métier, de nouveaux visages, un autre cadre de vie, jusqu'à son patron qui l'a pris en amitié, tout l'a aidé à cesser de boire.

La diversion ne rencontra pas le succès escompté. Mais Renée, gentiment, lui donna la réplique.

— La vie est étrange parfois, n'est-ce pas ? Qui aurait cru en effet que papa redeviendrait si vite un homme brillant et responsable ? Enfin, ajouta-t-elle avec un curieux sourire, si l'on considère que Ben est à l'origine de tout cela... Il doit encore éprouver un grand attachement pour toi, sinon pourquoi nous aurait-il aidés ? Maman dit qu'elle lui sera toujours reconnaissante.

La bouche de Danielle se plissa en une moue d'ironie douloureuse.

— Comme les choses changent, en effet ! s'exclamat-elle, sarcastique. Autrefois, Ben était un moins que rien, un rêveur. Le voilà maintenant monté au pinacle des grands bienfaiteurs !

— Pourquoi... commença Renée d'une voix hésitante, ne retournes-tu pas à lui ? Tu m'as dit qu'il avait perdu sa femme.

Danielle posa sur elle de grands yeux choqués et tristes.

— Comment le pourrais-je ? Tu ne te rends pas compte. Je me suis permis autrefois de le mépriser, de le rejeter en ne l'estimant pas assez bien pour moi. Et maintenant qu'il est riche, qu'il a réussi, j'oserais lui revenir ? Comment saurait-il que c'est lui que je veux et non son argent ?

René secoua la tête, impuissante à résoudre le déchirant dilemme de sa sœur.

— Tu l'aimes. Et il t'aime. Il n'en a jamais été autrement entre vous. Rien n'est changé.

— Tout est changé ! Franchement, m'imagines-tu allant le trouver pour lui dire : « Pardonne-moi, mon amour. Oublions le passé. Me voilà, je suis tienne si tu veux de moi. » ?

Un rire désespéré lui échappa, qui s'étouffa en un sanglot.

— Je lui ai fait trop mal, Renée. Certaines plaies sont inguérissables. Il ne veut plus de moi. Jamais je ne réparerai mes torts. De toute façon, qu'aurais-je à lui offrir de mieux que n'importe quelle autre femme ?

— Danielle ! Tu as tout à offrir à un homme, et c'est énorme.

Avec un soupir d'exaspération, elle revint vers l'évier et plongea ses mains dans l'eau mousseuse pour y glaner les derniers couverts.

— Tu devrais au moins comprendre que Ben n'a aidé papa que par amour pour toi. Tu devrais aller le trouver et tout éclaircir avec lui.

— Impossible. Il ne souhaite pas me revoir. Crois-moi, il refuserait.

Une fois encore, image obsédante du cauchemar qui la hantait, elle le revit dans l'obscurité du parc, détournant la tête. La chassant sans un mot.

94

7

Danielle tenta de s'étourdir dans une ronde incessante d'emplois les plus variés, de nouveaux visages, aussitôt oubliés. Sans grand succès, sinon l'épuisement progressif de ses forces, de ses nerfs.

Mille fois par jour, le visage de Ben revenait la hanter. D'impossibles rêves ponctuaient ses nuits trop longues et qui ne lui apportaient aucun repos.

Elle songea à quitter Perth, retourner à Sydney ; mais cette fois elle ne se leurra pas. Un continent entre elle et Ben ne lui ferait pas oublier son amour. Ben vivait en elle ; où qu'elle aille, il l'accompagnait.

Un soir de décembre, elle était en train de laver le carrelage d'un petit restaurant quand un homme portant élégamment ses soixante et quelques années, fit irruption dans la salle et s'installa à l'une des petites tables. Il étonnait par sa souplesse, la coupe parfaite de son costume gris de toile légère, sa peau hâlée, ses joues rasées de près et, surtout, ses grands yeux bleus rayonnants de bonté qui se posèrent sur Danielle.

— Je regrette, monsieur, nous allons fermer, expliqua-t-elle gentiment, chassant une fois encore l'inopportune image de Ben qui lui traversait l'esprit.

L'homme reposa le menu, précautionneusement, entre la salière et le sucrier, sourit à la jeune femme.

— Me refuserez-vous même une simple tasse de thé ?

Elle n'hésita pas longtemps et rendit son sourire au charmant monsieur.

— Non, bien sûr.

Une minute plus tard, elle posait devant lui une théière fumante, une tasse et un petit pot de lait. Il la remercia d'un hochement de tête et parcourut du regard la salle de restaurant presque désert. Deux clients terminaient leur café ; un chauffeur de poids lourd était en train de régler sa note à la caisse.

— Me ferez-vous le plaisir de vous asseoir ? s'enquit l'inconnu.

Elle n'en avait aucune envie. La journée avait été particulièrement longue. Danielle rêvait de regagner sa chambre pour se remettre au difficile portrait à l'huile qu'elle avait entrepris durant le week-end.

Cependant, l'expression du vieil homme était si engageante, si généreuse, qu'elle s'entendit accepter. Elle rentrerait plus tard, qu'importait. Elle ne comptait plus les heures d'insomnie.

— Je me nomme Rupert Jones, déclara-t-il en lui tendant la main.

Sa poignée de main fut étrangement chaleureuse.

— Danielle Williams.

— Je sais.

— Comment... ? commença-t-elle pour le moins étonnée.

— Agatha Higgins a parfaitement su vous décrire en m'indiquant où je pourrais vous rencontrer.

Longuement il étudia le pâle visage de la jeune femme aux grands yeux verts. De ses cheveux rassemblés en un lourd chignon s'échappaient quelques mèches folles qui atténuaient la rigueur de ses traits creusés par la fatigue ou une secrète peine. Il sourit gentiment.

— Vous me cherchiez ? questionna-t-elle.

— En quelque sorte.

D'un geste élégant, il sucra son thé, saisit sa petite cuillère. Il avait de belles mains, constata Danielle. Machinalement, elle se surprit à les comparer avec celles de Ben. Lui aussi avait de longs doigts fins, des ongles soignés et coupés court. Des mains fortes, solides, terriblement douces à la fois, et qui savaient la ravir, l'enivrer de caresses.

Elle tressaillit, honteuse de s'être encore laissée aller à ses impossibles rêveries, et s'efforça de se concentrer sur le visage de Rupert Jones.

La bouche de celui-ci s'étira de nouveau en un sourire plus étrange, comme s'il avait deviné le lieu secret des pensées intimes de la jeune femme. Il alla jusqu'à hocher imperceptiblement la tête, en signe d'amicale compréhension.

— Nous connaissons-nous ? demanda-t-elle, déconcertée par l'attitude de l'inconnu.

— Nous ne nous sommes jamais rencontrés.

— C'est curieux, j'ai pourtant l'impression du contraire.

Le sourire indulgent et tendre s'accentua.

— On m'a souvent dit cela. J'ai une faveur à vous demander, Miss Williams, ajouta-t-il après avoir pris une gorgée de thé.

— Appelez-moi Dani, fit-elle à brûle-pourpoint.

Avec lui, elle éprouvait un étrange bien-être. Il était de ces individus exceptionnels qui inspirent une confiance immédiate tant ils dégagent de chaleur et d'humanité.

— Je serai heureuse de vous rendre service.

— J'aimerais, Dani, que vous vous installiez chez

moi et que vous deveniez ma gouvernante. Agatha Higgins affirme que vous êtes celle qu'il me faut.

Flattée malgré elle, elle laissa échapper un petit rire de contentement. D'ordinaire, elle ne rencontrait jamais ses employeurs d'une façon aussi originale. Mais Rupert Jones était lui-même un original.

— Alors, si Miss Higgins l'a pensé, je ne discute pas. Je suppose qu'elle vous a prévenu : la personne que je remplace dans ce restaurant est encore absente pour une semaine, je ne serai donc pas libre avant.

— Je suis au courant, acquiesça M. Jones, avant d'ajouter, après une légère hésitation : Ma proposition est un peu particulière. Je souhaite vous engager de façon stable, permanente. Y voyez-vous un inconvénient ?

— Oh...

— Vous ne travaillez d'habitude que par intérim mais Miss Higgins a prétendu que vous ne teniez pas forcément à continuer. Vos parents ont déménagé, et vous vivez chez votre sœur en attendant de vous trouver un logement, est-ce exact ?

Elle hocha la tête, se demandant bien pourquoi Miss Higgins avait jugé bon de fournir tous ces renseignements avant même de s'être entretenue avec elle. Elle en comprit rapidement la raison. Rupert Jones était de ces êtres qui provoquent les confidences. Sa voix douce, son visage avenant avaient le don d'inspirer confiance. Elle-même d'ordinaire timide se sentait déjà en terre amicale.

— Nous pourrions donc nous rendre service mutuellement. Vous cherchez un logement, j'ai besoin de quelqu'un pour s'occuper de ma maison. J'avais une fille de votre âge, poursuivit-il, le regard soudain perdu au loin ; elle est morte il y a un peu plus d'un an. Mon épouse déjà n'était plus de ce monde. Complètement seul, j'ai laissé les choses aller à vau-l'eau.

Un instant, il ferma les yeux, pour les rouvrir et sourire aussitôt.

— Mon gendre m'a finalement convaincu qu'il était grand tremps de reprendre pied. Voilà... Acceptez-vous de venir en aide à un vieil homme solitaire ?

Pleine de compassion et de sympathie, Danielle n'hésita pas longtemps.

— Si je le puis, monsieur Jones. Vous avez traversé une période pénible. Qu'attendez-vous de moi exactement ?

— Rien de très extraordinaire. Vous vous chargeriez du ménage, de la lessive, des courses. Vous nous prépareriez des repas légers. Je ne suis pas exigeant et je n'attends ni zèle ni perfection.

Pourtant, Danielle craignait de le décevoir. Peut-être parce qu'elle éprouvait déjà à son égard un sentiment presque filial.

— Le salaire que m'a suggéré Miss Higgins me paraît ridiculement bas, reprit-il.

La somme qu'il lui offrait la laissa pantoise. C'était trop beau pour être vrai. Tout comme les conditions qu'il posait, idéales en vérité.

La veille encore, Danielle avait envisagé avec son employeuse la possibilité d'un emploi permanent. Elle commençait à comprendre que là seulement résidaient ses premières chances de stabilité, d'équilibre. Aussi, rencontrer cet homme qui exigeait peu et payait si généreusement lui parut-il un véritable don du ciel. Peu habituée aux coïncidences heureuses, elle gardait pourtant une ombre de doute au fond de ses grands yeux verts.

— Ne croyez pas que je vous offre le paradis. Je me

comporte souvent en véritable ours, surtout après une rude journée de travail.

Elle ne put retenir un éclat de rire.

— Lisez-vous également dans les pensées des autres ? s'enquit-elle avec légèreté.

— Nullement, ma chère. Vous avez seulement un visage incroyablement expressif. Je vous demanderai sûrement un jour l'autorisation de peindre votre portrait. Me le permettrez-vous ?

Danielle resta un instant interdite.

— Vous êtes peintre ? murmura-t-elle, émerveillée.

Il acquiesça, déconcerté apparemment par la stupeur de la jeune femme.

— J'approche de la retraite, alors je ne travaille qu'à mi-temps. J'enseigne trois jours par semaine à l'Université des Beaux-Arts. Ne me dites pas que vos êtes artiste, vous aussi !

— Oh ! C'est plus un rêve qu'une réalité, répondit-elle modestement.

— C'est toujours un début, rétorqua-t-il avec satisfaction. Me permettrez-vous de vous aider à matérialiser votre rêve ?

Cette fois, c'en fut trop. La joie de Danielle ne connut plus de bornes. « Impossible, se dit-elle, un détail a dû m'échapper ! Pareil bonheur n'arrive pas à des gens comme moi ! »

Le scénario lui évoqua fugitivement la promotion inespérée de son père, mais, cette fois, Ben n'était pas caché dans l'ombre à tirer les ficelles. Et, par-dessus tout, M. Jones lui inspirait réellement confiance ; il dégageait une sérénité contagieuse.

Il était temps, songea-t-elle, de cesser d'errer de poste en poste, de maison en restaurant. Il était temps pour Rupert Jones de briser sa trop triste solitude. La bonne volonté dont Agatha Higgins avait fait preuve envers lui était une preuve supplémentaire, si besoin était, de sa bonne foi et de son honnêteté.

Et derrière cet emploi inespéré se profilait, magnifique, l'espoir de se mettre à peindre sérieusement...

— Parfait, monsieur Jones, répondit-elle, tout sourire. Je serai ravie de travailler chez vous.

L'affaire fut conclue. Renée elle-même, après s'être montrée plus que réticente, fut convaincue par le charme de Rupert Jones. Il vint un soir dîner chez la sœur de sa future gouvernante et sut rallier tous les suffrages. Les bambins passèrent une bonne partie de la soirée sur ses genoux, lui confiant leurs secrets comme à un grand-père adoré. Jack sortit sa plus vieille fine, ses meilleurs cigares, et écouta avec plaisir le vieil homme raconter d'amusantes anecdotes sur ses années d'enseignement aux Beaux-Arts.

Située à Nedlands, l'un des luxueux faubourgs résidentiels de Perth, la demeure de Rupert Jones charma elle aussi Danielle qui se réjouit sans retenue de s'y installer une semaine plus tard. Avec un mélange de fierté et d'embarras, son nouvel employeur la lui fit visiter de la cave au grenier, la traitant davantage comme une invitée que comme la nouvelle gouvernante.

Malgré le cachet des grandes pièces claires, il manquait de toute évidence une âme à cette maison.

— Une présence féminine, expliqua Rupert Jones, devinant une fois de plus les pensées de la jeune femme. Ma femme aimait les fleurs sauvages. Elle en faisait de merveilleux bouquets qui ornaient et embaumaient toute la demeure. Il y avait des vases partout... débordants de couleurs, de beauté...

Aujourd'hui ne régnaient plus que le vide, la tristesse d'un lieu abandonné.

Rien ne venait compenser l'austérité des grands et hauts murs gris ou beiges. Rare et uniquement fonctionnel, l'ameublement manquait totalement de cachet. Il aurait suffi de peu pour le mettre en valeur : ôter la couche de poussière, parsemer les commodes, les tables de quelques napperons et bibelots, de gros bouquets de fleurs en effet...

Fugitif, un souvenir traversa l'esprit de Danielle. Elle se revit dans la superbe demeure de Ben, admirant la décoration, le goût discret. Elle avait dit « c'est très beau » ; il avait répondu « c'est vide ». Il était déjà veuf alors, elle l'ignorait encore.

Revenant à l'instant présent, elle sourit amicalement à son nouvel employeur.

— Votre femme doit beaucoup vous manquer, fit-elle doucement.

— Enormément, répondit-il avec une émouvante simplicité. Elle était mon soleil.

Son visage changea.

— Ma fille était plutôt comme un clair de lune.

Chassant sa tristesse, il prit la main de Danielle.

— Venez, vous allez comprendre ce que je veux dire.

Situé dans le grenier agréablement aménagé, son atelier était magnifique. Lambrissé de bois clair du sol au plafond, il était éclairé par une immense verrière qui ouvrait directement sur le ciel. En dehors des chevalets, des toiles et des palettes abandonnées un peu partout, l'ameublement se réduisait à un petit divan et un fauteuil placés devant la cheminée.

A respirer l'odeur de la thérébentine, de l'huile de lin, à voir les dizaines de pinceaux groupés dans de gros pots de verre, les chiffons tachés, les toiles achevées ou inachevées, Danielle se sentit dans son univers.

— Cela va un peu à l'abandon, comme le reste de la

maison, commença Rupert Jones, avec l'air de s'excuser.

Interprétant à contresens la mine ébahie de Danielle, il s'empressa d'ajouter :

— Vous n'êtes pas chargée de faire le ménage ici ni de mettre l'atelier en ordre.

Elle n'eut pas le temps de protester. Peu importait. Déjà, son hôte se dirigeait vers une pile de toiles alignées contre le mur. Il en tira deux petites et les tourna vers la jeune femme.

— Voici Nell, mon épouse, commenta-t-il avec un triste sourire.

Une très belle femme, malgré son âge avancé. Des cheveux blancs encadraient un visage débordant de bonté. Réelle ou inventée par le peintre, une lumière semblait se dégager de ses yeux, comme ceux de son mari. Danielle fut étrangement bouleversée : ce portrait était plus précieux que toutes les toiles de maître puisqu'il avait été peint avec les mains et le regard de l'amour.

— Je comprends en effet que vous parliez de soleil.

— Et voici ma fille, Elisabeth, reprit l'artiste en montrant le second tableau.

Ce portrait également étonnait, davantage par sa maîtrise, sa qualité plus objective. Avec ses lourds cheveux bruns aux reflets auburn effleurant à peine ses épaules, ses grands yeux noirs, Elisabeth, sans être belle, ne manquait pas de charme. Le pli mutin de sa bouche, ses hautes pommettes inspirèrent une sympathie immédiate autant qu'étrange à Danielle. Elle regretta de ne pas avoir connu cette jeune femme. Peut-être à cause de son expression assurée, volontaire. Elle avait de toute évidence fait partie de ces êtres qui se savent aimés. L'idée que la mort l'ait ravie aux siens, au plus beau de sa jeunesse, laissait à l'observateur du portrait un goût amer, infiniment triste. Danielle se demanda à quoi pouvait ressembler son mari, le gendre de M. Jones, celui qui avait convaincu le vieil homme de reprendre goût à la vie.

— Un clair de lune… murmura-t-elle, très émue. Je comprends qu'elles vous manquent si fort, toutes les deux.

Le sourire de M. Jones à cet instant trahissait toute sa reconnaissance face à l'évidente sympathie de sa jeune gouvernante.

— Je savais que vous comprendriez, dit-il seulement en reposant les deux toiles contre le mur.

S'occuper de la maison d'un être aussi gentil et peu exigeant fut pour Danielle une tâche des plus aisées. Il vivait très simplement, comme il l'en avait avertie, mais ne dédaignait pas pour autant les petites surprises que son employée lui ménageait. S'apercevant au travers de son œuvre picturale qu'il goûtait la bonne chère ou les plaisirs esthétiques plus qu'il ne l'avait avoué, elle s'appliqua à lui préparer des dîners raffinés, à orner la maison du mieux qu'elle pût pour la rendre vivante et colorée.

Quand il n'enseignait pas, Rupert Jones passait des heures à lire ou à se promener dans les rues calmes des environs. Souvent, quelques-uns de ses étudiants lui rendaient visite, se sachant toujours bien accueillis.

C'était alors de longues et passionnantes conversations entre le maître et les élèves, entretiens qui se prolongeaient parfois tard dans la soirée. Danielle y assistait, ne se lassant jamais des sujets qu'ils abordaient ensemble. On parlait souvent philosophie en buvant des litres de thé jusqu'à près de minuit. La jeune femme ne prenait pas la parole, se contentant d'écouter, d'observer, heureuse de veiller à ce que les tasses ne soient jamais vides, ni les assiettes de biscuits.

Lorsqu'elle n'avait pas compris quelque chose, M. Jones le lui expliquait gentiment, patiemment, après le départ de leurs invités. Insensiblement, elle devenait très calée en histoire de l'art ! Le temps aidant, elle put bientôt être en mesure de prendre la parole au même titre que les étudiants, d'intervenir sans honte dans leurs débats pour donner son point de vue, contredire ou acquiescer. Seule dans l'atelier où M. Jones la laissait travailler en paix, elle s'efforçait de mettre en pratique ce qu'elle avait appris en matière esthétique. Ses esquisses, ses portraits devinrent rapidement le reflet appréciable de ses progrès.

A son art cependant, il manquait quelque chose : le principal. D'un portrait devait émaner une impression de vie, se répétait-elle chaque jour au cours des quelques heures qu'elle passait devant son chevalet après les travaux ménagers. Or, ses visages restaient de pierre, avec une expression artificielle.

— Ne vous inquiétez pas, répétait gentiment Rupert Jones pour l'encourager. Cela viendra. Votre géométrie, votre sens de l'anatomie sont parfaits. J'aime vos contrastes d'ombre et de lumière. Il vous manque effectivement le « mouvement » d'un visage, son expression et la texture si particulière de la peau. Essayez de comprendre le caractère profond d'un modèle, vous saurez alors le peindre.

Avec le changement des saisons, la façon de penser de Danielle changea, elle aussi. L'hiver ne lui apporta plus que seulement le douloureux souvenir de journées passées à errer sur les plages en compagnie de Ben. M. Jones semblait veiller à ne jamais la laisser oisive, à toujours stimuler son sens artistique. Avec lui, elle découvrit la musique, la danse, le théâtre. Plusieurs fois, elle l'accompagna dans les galeries d'art ou aux vernissages d'expositions prestigieuses auxquelles participaient les élèves du maître. En maintes circonstances, elle se retrouva sur les bancs de ses classes, au même titre que ses étudiants.

Acquérant ainsi confiance en elle, elle fut capable d'oublier Ben pendant de longs moments. La nuit seulement, alors qu'elle se retrouvait complètement seule avec pour tout compagnon le silence de la grande maison, les souvenirs revenaient. Et avec eux, le douloureux désir de celui à qui elle n'appartiendrait jamais. Peu à peu, cependant, elle finit par accepter Ben comme une part d'elle-même dont elle ne s'amputerait jamais, avec laquelle elle saurait vivre. Leur bref et violent amour, leur rupture également, étaient ce qui l'avait faite. Jamais elle ne cesserait de l'aimer, pourtant la souffrance s'évanouirait peut-être.

Sans doute Rupert Jones s'étonnait-il des relations amicales mais distantes qu'elle avait établies avec ses étudiants. Elle s'entendait avec eux comme avec de véritables camarades mais n'accepta jamais de sortir avec l'un d'eux. Il ne la questionna jamais à ce sujet. Il respectait sa vie privée autant qu'elle respectait la sienne.

Souvent, elle l'accompagnait jusqu'au cimetière et l'attendait à la grille tandis qu'il se recueillait sur la tombe de son épouse et de sa fille. Sans émettre aucun commentaire, il accepta sa silencieuse et amicale présence.

En revanche, jamais elle ne se rendit avec lui chez son gendre. Il revenait de ces visites calme et réservé, mais sans nostalgie ou mélancolie. Souvent, elle se posa des questions sur les liens qui unissaient le vieil homme et son gendre. Elle s'étonnait que ce dernier ne rendît jamais visite à son beau-père, surtout maintenant que la maison ne souffrait plus d'abandon. Danielle commença à s'interroger sur cet homme mystérieux autant qu'invisible. Un homme qui avait aimé sa femme, l'avait rendue heureuse ; le portrait d'Elisabeth le criait.

Plusieurs fois, Rupert Jones et Danielle rendirent visite à M. et Mme Williams, dans le nord du pays. Au moins une fois par mois, ils dînaient avec Renée et Jack, Tom et Josie.

Comme jamais auparavant, la vie de Danielle s'écoulait sous le signe de la paix.

Un soir de décembre, il y avait maintenant un an que Danielle travaillait et vivait chez lui, M. Jones trouva sa gouvernante dans l'atelier du grenier, en pleine concentration face à son chevalet.

— Bientôt fini ce chef-d'œuvre ? s'enquit-il gaiement.

Il vint se placer derrière l'épaule de la jeune artiste. Avec le temps, il était devenu plus insouciant, plus enjoué. Ses yeux, ce soir, pétillaient de joie.

— J'ai annoncé à l'école que votre portrait serait achevé demain. Ainsi, nous aurons le temps de l'encadrer avant l'exposition.

Danielle s'écarta légèrement de sa toile, sans quitter son œuvre des yeux. Elle portait sur le tableau un regard critique, soucieux, incertain.

Rupert Jones avait insisté pour que son travail figurât parmi les œuvres exposées de l'ensemble de ses élèves, au cours de la fête organisée pour la fin de l'année. Consciente de l'honneur et de la confiance qu'il lui accordait, Danielle tenait à ce que ses toiles soient irréprochables. Deux paysages dont elle n'était pas mécontente avaient déjà été encadrés, mais ce portrait qu'elle venait tout juste d'achever représentait la pièce maîtresse de son œuvre encore modeste.

Intimidée par l'œil du maître, ce fut d'une toute petite voix qu'elle demanda :

— Qu'en pensez-vous ?

M. Jones étudia le portrait avec une intense concentration, une immobilité, un silence qui ne trahissaient que sa joie, son excitation difficilement contenue.

Il avait eu un an pour comprendre et encourager le talent de son élève. Un an, c'était peu et c'était beaucoup. La première fois qu'il avait vu son travail, il avait décelé ses dons encore en germe. A présent, il les voyait éclore.

— C'est bien ce que j'espérais, murmura-t-il d'un ton presque respectueux, sans quitter la toile des yeux. C'est magique.

Se mordant la lèvre pour ne pas rire ou pleurer d'émotion, Danielle s'épongea le front avec son avant-bras. Elle tenait encore en main le pinceau avec lequel elle venait d'effectuer d'invisibles retouches. Le compliment du maître la flattait, mais, curieusement, elle éprouvait parallèlement un léger désappointement qu'il n'ait pas vu ce qui, à son avis, n'allait pas tout à fait.

— Je ne sais pas, fit-elle. Quelque chose me dérange encore. Mais...

Inclinant la tête, à gauche, à droite, en arrière, elle ne parvenait pas à toucher du doigt la faille, l'inexactitude.

Le portrait représentait bien sûr le beau visage de Ben. Avec une étrange certitude, Danielle avait pressenti qu'elle ne saurait jamais peindre parfaitement ni un paysage ni un visage, tant qu'elle n'aurait pas rendu à la perfection les traits de son amour perdu. Dans cette œuvre, elle avait mis tout son cœur, toute son âme, le plus intime d'elle-même. Dans les cheveux soyeux, noirs comme une nuit sans lune, dans les yeux d'or et d'ambre, dans le port arrogant de la tête qui se détachait sur un azur limpide. Une vive lumière semblait l'illuminer, qui plutôt venait de lui, aura magnifique. La texture de la peau paraissait animée de vie. Souvent, dans ses nuits sans sommeil, la jeune artiste avait rêvé de poser ses doigts sur cette toile et de découvrir, comme par enchantement, la douceur chaude de la vraie peau de Ben. Une fois ou deux, elle s'était risquée à défier la réalité, les lois les plus naturelles. Sa main n'avait rencontré que le froid et rugueux contact de la toile et de la peinture séchée.

Pas un détail ne lui avait échappé, jusqu'à la courbe irrégulière, asymétrique des sourcils. Ceux-ci donnaient au visage une expression de moquerie qui semblait dirigée contre l'artiste, tout comme les plis de colère à peine perceptibles qui encadraient la grande bouche pleine et sensuelle.

Dans les yeux d'or se reflétait un étrange désarroi, une tristesse accusatrice, implacable. Figé sur la toile, Ben vivait d'un silencieux et amer dédain.

Peint avec tant d'émotions, de sentiments, le résultat était étrange aux regards non avertis.

— Ce sont peut-être les yeux, suggéra M. Jones après un long silence. Ils ne sont pas si franchement dorés. Ajoutez un peu de gris, à peine, au bord des iris.

Machinalement, elle s'apprêtait à suivre ce conseil quand elle se figea. Sa bouche dont aucun son ne sortit demeura ouverte, comme pour happer un air trop rare. Un frisson glacé la parcourut. Le regard empli d'une douloureuse incrédulité, elle trouva la force de faire face à Rupert. Elle était livide.

— Vous le connaissez !

Son cri pétrifia un instant le vieil homme qui finit par esquisser un laborieux sourire et s'éclaircit la gorge. Ses pommettes avaient rosi, accentuant son air coupable.

— Je vais vous expliquer...

Sans se départir de sa paralysante stupeur, le cœur battant à tout rompre, Danielle se rendit compte que pendant des semaines, des mois, elle s'était livrée. Il avait vu ce portrait se dessiner, prendre vie. Il connaissait le modèle. Il n'en avait soufflé mot, ne discutant que la technique et le talent de son élève.

— Comment connaissez-vous Ben? s'enquit-elle avec une sauvagerie difficilement réprimée.

Se détournant de ce visage trop pâle, tremblant, bouleversé, M. Jones s'approcha du portrait, le contempla avec une étrange tristesse.

— Ben est mon gendre, dit-il doucement.

110

8

Abasourdie, Danielle ne put que dévisager Rupert
Jones. Ce n'était pas possible ! Son imagination lui
jouait un tour cruel. Ben n'était pas le gendre du vieil
homme, la fille de ce dernier s'appelait Elisabeth.

... Libby.

Inconsciemment, elle tourna la tête vers les toiles
rangées contre le mur, fixant avec une douloureuse
acuité le portrait de la jeune femme sûre d'elle, celle
qui — n'était-ce pas ce qu'elle avait immédiatement
pensé ? — se savait aimée, celle qu'elle aurait souhaité
connaître !

La femme que Ben avait aimée, qu'il avait épousée,
connue intimement ! S'en être pendant des années fait
une image floue, irréelle de par sa perfection glacée,
avait été pour Danielle un moyen indirect de la nier, de
la repousser sans cesse dans le domaine des ombres.
Désormais, elle la connaissait, elle aurait pu se la
figurer vivante !

Le sang se mit à bourdonner dans ses oreilles, ses
mains battirent faiblement le vide, bataillant contre un
ennemi invisible. Enfin, elle se figea, aveugle à ce qui
l'entourait.

Ben avec cette fille dans ses bras, l'étreignant, la
caressant... Voilà ce qu'elle voyait à l'éclairage blafard

du choc insupportable. Des larmes montèrent dans sa gorge, qu'elle refoula violemment. La douleur qui la déchirait n'avait jamais eu d'égale. La laisser s'exprimer aurait couronné l'humiliation dont M. Jones se faisait le témoin. Il savait, il avait toujours su que Ben était l'homme qu'elle aimait. Son gendre !

Comme le déroulement d'un cauchemar quand le danger encore est tapi derrière la porte, que rien ne le laisse prévoir, elle revit les fréquentes et interminables discussions avec son maître et employeur. Il avait pénétré ses pensées les plus intimes, il avait mis un nom sur ses peines, ses doutes, ses silences... Ben, Ben, Ben...

— Comment avez-vous pu ? articula-t-elle d'une voix blanche. Monsieur Jones, comment ?

Il la dévisagea sans souffler mot, atterré du feu qui brûlait dans les yeux verts. Avec son jean et sa blouse maculés de peinture, ses cheveux en bataille, sa pâleur, sa stupeur, elle ne ressemblait plus à la jeune femme qu'il avait rencontrée voici un an. Il l'avait connue épuisée, désespérée, sans vie. Il la découvrait aujourd'hui en rage, humiliée, mais plus sûre d'elle-même ; finalement, il en goûtait un sentiment de victoire, de joie. Cette année à ses côtés avait ouvert à Dani les perspectives d'un monde nouveau, inconnu jusqu'alors, dans lequel elle avait sa place. En bon philosophe, Rupert Jones se félicitait de cette métamorphose.

Ce fut pourtant, le visage empourpré qu'il expliqua :
— Ben pensait que je pourrais vous aider.

Danielle eut l'impression qu'une main d'acier la saisissait à la gorge, serrait, serrait... Elle secoua violemment la tête. Les mots les plus rageurs, les plus insultants affleurèrent à ses lèvres ; elle les réprima par égard envers son bienfaiteur. « Ben pensait... » Cette nouvelle la précipitait dans le gouffre de douleurs dont elle s'était si péniblement sortie. Sa blessure, de nouveau à nu, la dévorait. Ben avait donc tout su d'elle, ses actes, ses pensées. A chaque visite qu'il lui rendait, Rupert Jones s'était fait le narrateur de son devenir.

— Je vous croyais mon ami ! s'écria-t-elle.

— Je le suis, Dani.

— Vous osez appeler « ami » celui qui n'a pas su être honnête ?

— Je ne vous ai jamais menti.

— Si, par omission !

— Ce n'était nullement intentionnel de ma part.

Dans le regard qu'elle posa sur lui, ne restait aucune trace de la complicité qui les avait unis, seulement une amertume, un désespoir implacables.

— Je ne vous crois pas.

Le vieillard haussa les épaules, d'un air d'excuse empreint de lassitude.

— J'aurais dû vous dire tout de suite qui j'étais, je sais. Malheureusement, j'ai pensé que vous refuseriez mon offre si vous saviez que Ben me l'avait suggérée. J'ai attendu, repoussé le moment de vous parler.

Il eut un geste gauche, soupira, sachant qu'il aurait du mal à combattre l'incrédulité désespérée de la jeune femme.

— Ben m'avait demandé de vous prendre sous mon aile, de vous enseigner mes connaissances. Les semaines, les mois passèrent, je n'ai pas trouvé l'opportunité de vous l'avouer simplement. Et puis, avec le temps, j'avais fini par ne plus accorder d'importance à l'origine de votre présence sous mon toit. Seul votre talent de peintre comptait. C'était tout ce qui me préoccupait.

De nouveau, il regarda le portrait de Ben.

— Je ne me trompais pas sur vous, reprit-il d'un ton respectueux. Vous avez su transcrire dans les moindres détails toute l'intensité de l'expression de votre modèle.

Je l'ai souvent vu ainsi, hautain et malheureux à la fois. Pas un de mes étudiants n'a su mettre autant d'émotion dans une toile. Vous avez du génie.

Danielle aurait dû se réjouir du commentaire élogieux du maître, mais elle n'éprouvait que la blessure d'avoir été trahie.

— Vous n'avez jamais eu besoin d'une gouvernante, n'est-ce pas ? Il s'agissait seulement d'un prétexte pour vous occuper de moi ?

Un long silence s'installa.

— Essayez de comprendre, dit-il gentiment. Je l'ai fait pour Ben. Il m'avait demandé de vous donner une chance de devenir un grand peintre.

— Cela s'appelle de la manipulation.

— Non, Dani ; il essayait seulement de vous aider.

— Je n'ai besoin de l'aide de personne !

— Maintenant peut-être, mais ce n'était pas vrai lorsque je vous ai rencontrée.

— D'accord, vous avez eu pitié !

— Nullement, rétorqua M. Jones, désolé de la voir s'enfermer dans les pires doutes. Je souhaitais vous aider. J'avais *besoin* de vous aider, ajouta-t-il plus sourdement. Nous avions tous deux besoin de l'autre. C'est exact, vous n'étiez pas la gouvernante de cette maison, mais le nouveau but de mon existence.

— Vous avez eu tort de ne pas me le dire franchement.

— Je m'en rends compte. Pardonnez-moi si je vous ai blessée.

— Vous ne m'avez pas blessée ! s'exclama-t-elle avec un regain de fierté rageuse. C'est vous qui vous offriez à mes coups ! Tout ce temps... murmura-t-elle en serrant nerveusement les poings. Tout en moi vous parlait de Ben, de mon amour pour lui, et il est le mari de votre fille ! Comprenez-vous ce que je ressens... ? Je suis...

114

— Coupable, fit Rupert Jones. Il n'y a aucune raison. Pas plus qu'il n'y en a eu pour Ben. J'ai mis un temps fou à lui faire adopter mon point de vue. Cela m'a pris près d'un an. Je lui parlais souvent, je revenais sans cesse à la charge, m'efforçant de lui faire comprendre qu'il avait le droit de vous aimer.

Un feu s'alluma dans les yeux de Danielle qui détourna légèrement la tête. L'affirmation du vieil homme la laissait sans voix, stupéfaite. Ne manquait-il pas à sa foi envers le souvenir de sa fille morte ?

— Laissez-moi vous expliquez, reprit-il très doucement.

Danielle semblait ailleurs, perdue dans son monde. Il sut pourtant qu'elle l'écoutait...

— Je me suis beaucoup inquiété au sujet de Ben quand Elisabeth a disparu. Tout semblait s'être arrêté pour lui. Comme s'il cessait de vivre lui aussi. Il se désintéressa de son travail, refusa de s'occuper de son fils, ou même de le voir. Pendant des semaines, il resta enfermé dans son bureau, sans parler à quiconque. J'ai rapidement compris que la mort de ma fille n'était pas la seule cause de son désespoir. Cependant, il ne fournissait d'explication à personne. Ni à moi, ce qui peut se comprendre. Ni à sa mère, dont, vous le savez, il a toujours été très proche.

Inconsciemment, Danielle retenait sa respiration, se raidissait encore davantage à mesure que le vieux monsieur parlait. Bien sûr, Ben avait une autre cause de désespoir. Elle ! Il la haïssait, la maudissait de l'avoir détourné de Libby au moment fatal. A cause d'elle, il avait trahi son épouse mourante. Une nouvelle vague de culpabilité l'envahit.

— Peu à peu, cependant, reprit sans hâte M. Jones, il commença à secouer sa torpeur, à communiquer de nouveau avec les siens, avec le monde. C'était au moment de Noël. Il n'ignorait pas que sa mère aimait particulièrement cette période de fêtes, tout comme lui. Il fit un effort pour elle, et lui déclara qu'il ne voyait aucun inconvénient à ce qu'on célébrât le réveillon comme à l'habitude. Son chagrin ne devait en rien affecter sa famille et ses proches. Alors, Mme Harper organisa la soirée, espérant secrètement que cette occasion de se retrouver entre amis aiderait son fils à reprendre pied. J'étais à ce réveillon. Et vous aussi, conclut-il plus sourdement.

Une rougeur subite envahit le cou de Danielle mais pas un muscle de son visage ne tressaillit. Elle demeurait de pierre.

— J'ai assisté à la pénible scène dans le couloir de la cuisine, quand ce stupide traiteur a pris plaisir à vous humilier devant les invités pour une soi-disant faute professionnelle. J'ai vu la réaction de Ben. Ce fut à ce moment que j'entrevis la vérité. Je compris que vous étiez la pièce manquante du puzzle. Au cours des quelques secondes que dura cette scène, mon soupçon ne fit que se confirmer. Il existait quelque chose entre vous deux.

Danielle aurait aimé mourir à l'instant, disparaître sous terre. Elle n'avait jamais éprouvé pareille honte.

— Longtemps, je me posai des questions, sans en parler à Ben, sans risquer aucune allusion. J'attendais. Finalement, il vint un jour me trouver et me parla de vous.

Le cœur de la jeune femme se serra.

— Il n'a jamais trahi Libby, murmura-t-elle.

— Vous n'avez pas besoin d'essayer de me convaincre, répliqua gentiment M. Jones. Je connais Ben. Bien qu'il se fût confié à moi, la culpabilité continuait à le ronger, de plus en plus. Je n'en comprenais pas la raison. C'est alors que j'acceptai de vous prendre sous ma protection.

Danielle sursauta. Sa voix tremblait tout en restant de glace lorsqu'elle parla :

— Pour découvrir ce qu'il y avait entre Ben et moi ? Pourquoi n'avez-vous pas directement posé la question, à Ben ou à moi ? Pourquoi avez-vous prétendu être mon ami ?

— Encore une fois, Dani, je n'ai pas fait semblant. Supposons que je sois venu vous trouver en me présentant comme le père de Libby, que je vous aie questionnée au sujet de vos relations avec Ben, qu'auriez-vous répondu ?

Les lèvres de la jeune femme se serrèrent.

— Vous voyez, dit-il sans aménité, vous vous seriez tue, comme maintenant. Au père de Libby, vous n'aviez rien à dire. Alors, je m'y suis pris autrement.

Nulle certitude, nulle assurance dans le ton du vieil homme qui continuait à souffrir pour Danielle, à avoir honte, même s'il estimait qu'il avait opté pour le moindre mal.

— Je n'ai pas forcément agi comme il l'aurait fallu vis-à-vis de vous, mais j'ai fini par comprendre la cause profonde du désespoir de Ben.

— Il me déteste, expliqua-t-elle d'une voix à peine audible. Il estime que c'est à cause de moi qu'il ne se trouvait pas au chevet de Libby lorsqu'elle est morte.

— Je sais. Mais il se trompe. Il a été aussi près d'elle que le règlement rigide de l'hôpital le lui permettait. Vous n'avez rien à vous reprocher. Vous êtes restée près de lui pour lui tenir compagnie, comme l'aurait fait n'importe quel ami.

— Je ne savais pas qu'elle était en train de mourir.

— Cela fait-il une différence ? Si vous l'aviez su, auriez-vous laissé Ben attendre seul ?

— Non, répondit-elle éperdue, regardant fiévreusement son interlocuteur. Je voulais être près de lui, l'aider dans la mesure où je le pouvais, où il me le permettait. Il semblait si... malheureux... si démuni.

— Il l'était. Et si ses pensées ont quitté sa femme pour se tourner vers vous, ce ne fut pas un péché. Il ignorait qu'elle était en train de mourir.

— Mais le fait est là, nous avons donc commis une faute.

— Non, insistait patiemment M. Jones. On n'empêche pas ses sentiments, pas même un homme maître de lui comme Ben. Il vous aimait. Il vous aimait depuis le premier regard que vous aviez échangé, il me l'a dit. Je ne comprends pas pourquoi vous ne vous êtes pas mariés. Je sais seulement que Libby l'a rencontré peu après votre rupture. Elle a su lui donner une présence dont il avait besoin, et il lui en a été reconnaissant.

Insidieuse, mordante, la jalousie s'empara de nouveau de la jeune femme, lui déchirant le cœur. Il lui semblait hurler le nom de Ben, qui ne se retournait pas, enlaçait une autre femme. Toutes les atroces et douloureuses images qui l'avaient obsédée à l'annonce du mariage de celui qu'elle aimait défilèrent sous ses yeux, rapides, précises, meurtrières. Ben en aimait une autre, s'allongeait près d'elle, la caressait, prenait sa bouche...

Tout à la compréhension qu'il éprouvait pour la jeune femme, M. Jones prit entre les siennes ses mains glacées et inertes. Malgré sa résistance, il l'entraîna vers le divan, l'y fit asseoir et prit place à côté d'elle.

— Elisabeth était au courant, fit-il en lui caressant les mains. Elle n'ignorait ni votre existence ni ce que Ben éprouvait pour vous. Non, ne vous cabrez pas, Ben n'a commis aucune indiscrétion. Elle savait seulement que vous vous appeliez Danielle. Quelqu'un de la famille Harper, je suppose, avait un jour prononcé votre nom. Ma fille était bien trop pragmatique pour se laisser dévorer par le fantôme de l'amour malheureux de celui qu'elle aimait. Elle a toujours su qu'une part du cœur de Ben vous restait. C'était un accord tacite entre eux, qu'elle n'a jamais rompu ni outrepassé. Elle acceptait la situation, n'utilisant son énergie qu'à aimer Ben.

Danielle baissa les yeux, emplie de honte. Si les rôles avaient été inversés, elle le savait, jamais elle ne se serait montrée si magnanime et respectueuse. Ses yeux cherchèrent le portrait de Libby.

— Elle n'était pas votre rivale, poursuivait Rupert Jones en suivant son regard. Elle a beaucoup compté pour Ben mais jamais elle n'a pris votre place dans son cœur. Il vous aimait. Il aimait ma fille d'une autre façon, et qui la comblait.

— Non ! s'exclama Danielle dans un sursaut de révolte.

Elle ne comprenait ni le calme du vieil homme, ni cette façon détachée, objective, qu'il avait de parler de sa fille. Elle le jugeait déloyal de ne pas prendre le parti de la jeune morte. Pourquoi ne l'accusait-il pas de s'être immiscée entre Libby et Ben ? Comment avait-il pu la prendre sous son toit, se montrer si gentil, si prévenant, lui apprendre tant, l'aider si efficacement à donner un sens à sa vie ? Même si elle ne l'avait pas souhaité consciemment, elle avait nui à Libby de la pire manière.

A bout d'arguments, peut-être à bout de patience aussi, M. Jones lui agrippa les épaules et la secoua sans ménagement, l'obligeant à le regarder.

— Tout ce que je vous dis est vrai ! Voilà contre quoi Ben se bat depuis la mort de sa femme. Vous aussi, à votre façon. Il estime avoir trahi Elisabeth car il n'a jamais cessé de vous aimer.

— Il vous l'a dit ?

— Ç'eût été superflu. Je connais Ben. Rares sont les hommes aussi sensibles que lui. Il a la droiture de sa sensibilité. Les allusions, les approches, les demi-mots ne sont pas son fort. A partir du peu qu'il m'a dit, j'ai entendu et compris bien davantage.

— Pourquoi Libby est-elle morte ? murmura Danielle. Pourquoi n'est-ce pas moi qui suis partie ?

— Je vous en prie. Ne posez pas ce genre de questions. Nul n'est en mesure d'y répondre, elles sont vaines. Les choses arrivent, avec ou sans raison. A nous d'en tirer parti en agissant toujours correctement.

— Mais Libby est morte ! Que peut-il en advenir de bon ?

— Tout est affaire de point de vue, de perspective, comme en peinture. Ne vous l'ai-je pas appris ? La mort n'est pas forcément mauvaise. Parfois, le pire est de vivre. Les médecins m'ont assuré qu'elle n'aurait pas eu la force d'élever son fils si elle avait survécu. Son cœur était trop faible... Elle aurait pu être invalide... alitée en permanence...

Sa voix se fit de plus en plus sourde, jusqu'à être difficilement audible.

— Ben regrettait déjà de l'avoir épousée. Il n'avait pas besoin d'un nouveau fardeau.

— Il... « regrettait » ?

Encore une fois, la honte l'envahit toute. Elle ne savait plus si elle souhaitait entendre ou se boucher les oreilles. Dans l'incroyable désarroi où elle se trouvait, tout était nouvelle blessure.

— Peu après son mariage, j'ai commencé à en avoir l'intuition.

Cette fois, ce fut insupportable pour la jeune femme qui recommença à trembler violemment. La moindre de ses pensées lui était suspecte. Son trouble croissant, confinant au malaise, n'échappa pas au vieil homme.

— Allons, allons, fit-il avec un doux sourire. Ne bridez pas vos sentiments, cessez d'avoir honte. Vous aimez trop Ben pour ne pas éprouver un contentement, même douloureux, à l'idée qu'il n'ait pu aimer sa femme avec une passion égale à celle qu'il éprouvait pour vous.

Son acceptation généreuse, sa profonde compréhension troublaient infiniment Danielle. Elle ne ressentait aucun soulagement à recevoir les marques de cette amitié, au contraire. Enfin, elle posa la question qui lui brûlait les lèvres depuis longtemps :

— Comment pouvez-vous être si déloyal envers votre fille ?

Sans hâte, M. Jones contempla une fois encore le portrait d'Elisabeth, à quelques mètres d'eux, comme s'il cherchait à y puiser les mots exacts, raisonnables et tendres d'un père.

— Je ne le suis pas, croyez-moi. Je connaissais ma fille. Pas vous. Elle me ressemblait sur beaucoup de points, particulièrement le pragmatisme. Que l'héritage soit génétique ou culturel, les êtres sont ce qu'ils sont. Les aimer, c'est les accepter. Si Ben a regretté de l'avoir épousée, elle ne l'a jamais su, elle ne s'en est jamais doutée. Ne portons pas un jugement moralisateur. Il s'est toujours montré gentil, attentif, tendre avec elle. Il apprit également à cacher ses sentiments véritables. C'est finalement ce que fait tout homme qui a accepté de prendre des responsabilités. Il ne ment pas, il assume ses choix. Si je connais si bien l'âme humaine, je le dois sans doute à la pratique du portrait. Mon regard est exercé à saisir l'expression la plus fugitive d'un visage. J'ai su dès le début de leur union que tout n'était pas parfait. Simplement, j'ignorais où le bât blessait. J'ai attendu des années avant d'entendre ce que je soupçonnais... qu'il y avait une autre femme, quelque part, dans l'ombre. Je vous le répète, Ben n'a pas menti, il a simplement assumé ses responsabilités.

De lourdes larmes commençaient à couler le long des joues pâles de Danielle.

— Cette histoire n'est ni unique, ni tragique, reprit-il avec un sourire. Même en ignorant beaucoup de choses, Elisabeth a été très heureuse Ben aussi, d'une certaine façon, de se toujours bien conduire avec elle.

La jeune femme s'agita, mal à l'aise.

— Elle aurait pu connaître un bonheur encore plus entier si je n'avais pas été entre eux, fit-elle, la gorge sèche. Mon Dieu ! Comme je regrette. Tout.

M. Jones lui lâcha les mains, peut-être pour lui ôter tout soupçon que l'affection seule guidât ses paroles, et la regarda gravement.

— Vous n'aviez rien fait de mal, Danielle. Ben non plus. Nul n'est coupable d'une passion qui survit. Je me suis entêté à en persuader Ben. Il a enfin compris. Maintenant, c'est vous que je dois convaincre.

— Ne vous fatiguez pas en vain, répondit-elle en se levant pour lui faire face d'un air faussement calme. Mon problème n'est pas d'admettre que j'aime Ben. Cela n'a jamais été un secret pour personne. Simplement, je n'accepterai jamais d'avoir fait tant de mal à Libby.

— Je viens de vous l'expliquer, elle n'a pas souffert de vous. Jamais !

— Si ! Vous vous aveuglez. J'ai renoncé à épouser Ben car je ne l'estimais pas assez bien pour moi ! expliqua-t-elle.

— Je ne peux pas croire que cela soit venu de vous. Cela ne vous ressemble pas. Mais ayant rencontré

122

plusieurs fois votre mère, je soupçonne son rôle dans l'histoire.

— Elle ne m'a pas laissée en repos, effectivement, mais j'ai fini par me plier à sa volonté. Sur le coup, je ne l'ai pas dit à Ben. Je l'ai quitté sans véritable explication. Je n'ai pas eu la décence d'une franche rupture, je ne lui ai donc pas rendu sa liberté. En me taisant, je l'ai empêché d'aimer une autre femme.

D'abord interdit, M. Jones s'adoucit à mesure qu'elle parlait. Sa compréhension chaleureuse se teintait maintenant d'admiration, de respect. Longuement il chercha sur les traits de la jeune femme bouleversée les stigmates d'un temps gâché, perdu, qu'elle ne rattraperait jamais. Pour une erreur de jeunesse, pour une faiblesse, elle agonisait depuis des années, sans espoir d'alléger ses souffrances.

— Vous vous trompez, fit-il avec la tendresse d'un père. Si quelqu'un a abdiqué sa liberté, n'a jamais pu aimer à nouveau, c'est vous. Ben ne vous a pas quittée toutes ces années. Il était en vous. Lui, bien qu'il en ait souffert, a accepté votre départ comme un adieu. Sa vie a repris, continué. Pas la vôtre. Vous n'avez existé qu'à travers vos regrets, vos rancœurs, dirigées contre votre mère puis contre vous-même. C'est fini, Dani. Tournez enfin la page. Tout est différent aujourd'hui. L'espoir renaît. L'heure de votre bonheur est venue. Vous pouvez tout recommencer, Ben et vous.

Danielle ferma les yeux, poignardée par une nouvelle douleur. Les larmes continuaient à couler silencieusement sur son visage.

Avec une infinie tendresse, Rupert Jones se leva et la prit dans ses bras, comme un père aimant étreint sa fille. Et il la laissa pleurer sur son épaule.

— Je sais. Ce ne sera pas facile. L'échec a été si lourd, l'incompréhension si grande. Mais l'amour et la volonté déplacent des montagnes. Vous n'êtes plus une petite fille. La faiblesse n'est plus une excuse. Osez juger le passé tel qu'il a été réellement : deux êtres trop jeunes pour comprendre la force et la nature exacte de l'amour qui les unissait. Quand vous l'aurez admis, il restera l'avenir.

L'avenir ? Danielle ne le voyait pas... avec ou sans Ben.

— Il est trop tard ! Ben n'est plus le même. Si je revenais à lui maintenant, il penserait que son argent ou sa position sociale m'intéressent. Non, monsieur Jones, cela ne marcherait pas. Quoi qu'il vous ai dit, je sais qu'il ne veut plus me voir.

Elle tremblait dans les bras de son vieil ami, proie de la colère, de l'amour, de la douleur, des remords, du dégoût d'elle-même. M. Jones la laissa à ses tristes certitudes, ne désespérant pas de la voir un jour changer d'avis.

Au cours du dîner, il posa souvent son bon regard sur elle. Bien qu'ils ne parlent plus de Ben, celui-ci était avec eux, omniprésent. Danielle fit traîner la vaisselle mais, finalement, se retrouva devant le portrait de l'homme aimé pour y apporter d'ultimes retouches.

Une fois couchée entre les draps frais de son lit, elle fixa interminablement les ombres qui envahissaient sa chambre.

Tout avait été dit. Désespérément, elle aurait aimé croire aux paroles réconfortantes de Rupert Jones, mais l'espoir se dérobait toujours, ne lui laissant que le flux, le reflux des peines. La vie était passée, l'amour était passé, le temps avait fui. Comme seule et abandonnée sur un quai désert, elle ne pouvait que les regarder disparaître de sa vue, fuir inexorablement. Jusqu'alors, elle avait toujours considéré Ben comme l'amour de sa vie. Désormais, elle devrait s'appliquer à le ranger au rang des autres hommes. Un parmi d'autres. Qu'elle aurait aimé. Qu'elle aurait perdu.

Tout à se fustiger, à régler les pires comptes avec elle-même, elle n'oublia pas non plus que, riche, éminent notable, homme puissant, Ben devait logiquement avoir perdu tout intérêt pour elle. Depuis son veuvage, il avait eu le temps de rencontrer les belles femmes célibataires de son milieu. L'une d'elles certainement deviendrait la seconde Mme Harper.

Pour penser de la sorte, il fallait que Danielle ait prêté peu de crédit aux paroles de Rupert Jones. Au cours de sa nuit blanche, elle s'appliqua à ne retenir des paroles de son bienfaiteur que ce qui achevait de piétiner de vains espoirs. Le fait que Ben ait indirectement pris soin d'elle, qu'il ait veillé à son bonheur, au développement de ses talents de peintre, continuait à lui apparaître comme une atteinte à sa fierté, sa dignité, une insupportable mainmise sur son indépendance.

Sa pitié, sa charité, elle n'en voulait pas.

Puisqu'il fallait se séparer de lui à jamais, que ce fût complètement.

9

Le lendemain soir, Danielle traversait d'un pas hésitant l'immense hall glacé de l'université, à contre-cœur. Elle avait promis depuis longtemps à M. Jones d'être présente. Nerveusement, elle arrangea les plis de la robe rouge carmin qui lui allait à merveille. Elle s'assura aussi de la bonne mise en place de ses longs cheveux noirs. Bien qu'elle s'en défendît, elle respirait beaucoup trop vite, d'irrépressibles soupirs lui échappaient.

Quelques étudiants et invités se trouvaient déjà dans la grande salle d'exposition. Plusieurs d'entre eux abandonnèrent des conversations animées pour venir saluer la jeune femme lorsqu'elle se présenta sur le seuil. Elle distribua force sourires et poignées de mains, s'efforçant de paraître à l'aise. Une crainte la tenaillait : l'éventuelle présence de Ben ce soir. S'il se montrait, elle ne se sentait pas prête à l'affronter.

Une multitude de toiles étaient accrochées sur les murs, certaines nues, jouant sur la sobriété du grand mur blanc, d'autres encadrées, éclairées par d'invisibles projecteurs qui les mettaient en valeur. Portraits et paysages se succédaient, révélant les multiples personnalités des artistes.

M. Jones s'entretenait gravement avec une petite

femme replette ; Danielle comprit qu'il exposait fièrement à celle-ci les énormes progrès qu'avaient faits sa fille au cours de l'année. La jeune étudiante se tenait derrière sa mère, très intimidée. Le maître lui prit les mains et les étreignit avec tant de chaleur qu'elle rougit jusqu'aux oreilles.

Peu à peu, il se produisit un petit attroupement autour du professeur. Chacun s'efforçait de saisir ses paroles, il s'appliquait à les dédier à tous, improvisant une ode à l'art qui provoqua l'admiration générale et le plus grand respect.

Assister à ces hommages, que Rupert recevait avec modestie, émut étrangement la jeune femme. Il était pour tous ceux qui avaient la chance d'étudier avec lui, un amical et grave mentor qui savait susciter chez chacun le juste déploiement de ses talents. Il ne s'en vantait pas, coupait court aux compliments, aux remerciements les plus sincères. Plusieurs fois dans l'année, Danielle avait voulu lui dire sa reconnaissance, son infinie gratitude pour le précieux enseignement qu'il lui avait dispensé, il ne lui avait jamais laissé placer plus de deux mots.

Aujourd'hui cependant, le loup s'était glissé dans la bergerie ; elle interprétait différemment la modestie de son maître. Ben encore, Ben toujours se dissimulait dans l'ombre. Il avait tout orchestré, tiré toutes les ficelles. Peut-être même avait-il payé son beau-père pour que celui-ci prît la jeune femme en charge. La trivialité de ce détail alimentait encore sa rancœur.

Curieux bienfaiteur que cet homme parti de rien qui rendait cadeau pour insultes, généreux services pour mépris. Il avait permis à M. Williams de ne pas sombrer dans l'alcoolisme, faisant le bonheur d'une famille qui, sans lui, se serait délabrée. Sans éclat encore, il avait fourni à Danielle l'opportunité d'étudier enfin la peinture, de donner une chance à sa vocation, tout en lui ôtant les tracas, les soucis de se loger, se nourrir. Elle aurait dû, pour tout cela, lui être infiniment reconnaissante.

Elle l'était d'une certaine façon. Mais à sa gratitude se mêlait l'amertume d'avoir été flouée. Ben ne s'était pas montré honnête envers elle. M. Jones non plus. Comment n'avait-elle jamais remarqué qu'elle n'était guère indispensable au vieil homme ? Un faux travail, un salaire mirobolant... Jamais elle ne s'était avisée de l'étrangeté de la situation. Elle se promit de rembourser jusqu'au dernier centime l'argent que Ben lui avait indirectement versé. Ses dépenses, cette année, avaient été très modestes. Ce qu'elle avait économisé, à savoir la majeure partie de son salaire, elle rêvait de le jeter au visage de Ben pour lui montrer combien il l'avait froissée, insultée. Elle posa sur le portrait de l'objet de ses pensées un regard sombre et accusateur, finit par lui tourner le dos et s'éloigner.

Deux heures plus tard, elle pensa avec un infini soulagement que Ben ne risquait plus de venir. Soulagement ? La colère grondait également. Partagée entre ces deux sentiments, elle errait dans le hall d'exposition, attendant l'heure où son départ n'apparaîtrait plus comme indécent. Elle restait pourtant obsédée par les mêmes pensées : M. Jones avait dû insister pour que son gendre vînt à l'exposition. Sinon, pourquoi aurait-il pressé Danielle d'achever son portrait ?

Un sourire figé aux lèvres, destiné surtout à ne pas attirer l'attention, elle se dirigea vers le buffet et s'y fit servir un verre de punch. Une part secrète d'elle-même, la plus déraisonnable, attendait encore l'arrivée de Ben. Non, il était trop tard. Déjà, quelques invités s'en allaient.

Quand un frisson soudain parcourut sa colonne

vertébrale, quand tout se glaça en elle, elle sut, sans le voir, qu'un seul être au monde pouvait la faire réagir de la sorte.

Finalement, Ben était venu.

Elle se retourna et le vit, sans que lui l'aperçoive. Sur le seuil de la grande salle, il s'effaçait pour laisser le passage à une grande femme brune, très belle, qui le précéda. Tous deux étaient vêtus de sombre, lui d'un costume noir, d'une chemise blanche et d'une cravate noire également, elle d'une audacieuse robe bleu nuit au decolleté suggestif.

Pétrifiée, Danielle dévorait Ben des yeux, incapable de détacher son regard de lui. Malgré elle, son cœur, ses sens, son amour affreusement vivace la trahissaient. Un an durant, elle s'était nourrie de son souvenir. Le voir soudain devant elle, séparé seulement de lui par la largeur d'un hall, lui produisit l'effet contraire à toutes ses résolutions. Il était vivant, il respirait, il était fait de chair, de sang.

L'espace d'un instant, elle se dit qu'elle avait bien su capter l'étrangeté superbe de ses traits. La seconde suivante, elle constata que son portrait n'était qu'un bien pâle reflet de l'être véritable. Il était tellement plus... Plus tout! Sa grâce, son charme, son magnétisme subjuguaient plus que jamais Danielle. Cette constatation la laissa désemparée, malheureuse, furieuse.

Aucun homme n'avait le droit d'être aussi beau, aussi captivant! Malgré la distance, l'œil amoureux de la jeune femme sut détecter mille détails. Il était plus svelte que dans son souvenir, plus hâlé. Les pattes d'oies aux coins de ses yeux s'étaient creusées, comme ses joues, et elle ne lui avait encore jamais vu ces cernes sombres sous les yeux.

Mais c'était toujours Ben. Avec sa lèvre supérieure

129

mince, l'inférieure pleine et sensuelle, avec ses soyeux cheveux noirs.

Danielle s'obligea à observer sa compagne. N'avait-elle pas sous les yeux le tableau exact qu'il lui fallait pour oublier enfin Ben ? Ravalant une jalousie mordante et vivace, elle ne se fit grâce d'aucun détail. Cette femme partageait certainement la vie de Ben aujourd'hui, ses nuits au moins.

Elle était de celles sur qui l'on se retourne. Grande, mince, elle formait avec Ben un couple parfait. Ils avaient en commun la beauté, la grâce, la nonchalance des gens à l'aise partout. Si Ben était très bronzé, sa peau à elle, en revanche, avait l'éclat des perles. Ses cheveux lâchés dans son dos frôlaient ses reins cambrés. De son regard sombre irradiaient le calme, la plénitude, une sérénité que Danielle ne rêvait même plus d'atteindre.

La belle inconnue adressa un gentil sourire à Ben, quelques mots brefs, avant de se diriger vers un groupe d'amis qui admiraient ensemble l'une des toiles exposées. Voir Ben la suivre d'un regard appréciateur, bien que distrait, fut plus que Danielle n'en pouvait supporter. La calme assurance de cette femme qui quittait son ami, le laissant aller à sa guise, l'étonna. Puis elle eut honte soudain de la mesquinerie de son jugement. En pareille situation, elle ne savait s'imaginer que timide, possessive, ennuyeuse au fond, ridicule aux côtés d'un homme si plein d'assurance, d'expérience.

Déjà, d'amères larmes lui picotaient les paupières, un sanglot montait dans sa gorge nouée. Que se passait-il ? N'avait-elle donc aucune fierté ? Aucun amour-propre, aucun ménagement pour elle-même ?

S'apercevant qu'elle tremblait violemment, elle s'empressa de reposer sur le buffet son verre de punch.

Il lui fallait partir, au plus vite, avant de devenir folle.

Aussi discrètement que possible, frôlant les murs telle une voleuse, elle se fraya un passage à travers la foule, sans jamais quitter de vue Ben qui regardait les toiles avec un ennui manifeste. Elle se demanda quelle serait sa réaction face à son propre portrait mais renonça à rester pour y assister.

Une fois dans le hall de l'université, elle se mit en quête d'une cabine téléphonique, de laquelle elle pourrait appeler un taxi. Elle se sentait malade physiquement, prise de nausées, torturée par de trop violentes émotions qu'elle préférait ne pas identifier. Fiévreusement, elle chercha des pièces de monnaie au fond de son sac. Oh! Pourquoi, pourquoi était-elle incapable de le haïr! Pourquoi un seul regard, le seul fait de l'apercevoir jetait-il à bas toutes ses bonnes résolutions?

Non, elle ne voulait plus l'aimer. Romprait-elle jamais cette chaîne?

— Ça ne va pas, Dani?

Elle sursauta et faillit lâcher son sac. Par-dessus son épaule, elle découvrit un beau garçon en jeans qui marchait vers elle.

— Oh! Jim, tu m'as fait peur, soupira-t-elle infiniment soulagée de reconnaître l'un des étudiants de M. Jones et non celui qu'elle redoutait.

— M. Jones t'a vue partir et t'a trouvé l'air un peu bizarre. Il m'a envoyé te demander si tout allait bien.

Il observait le visage livide et tiré de la jeune femme.

— Alors, que dois-je transmettre au maître?

— Tout... tout va bien, s'empressa-t-elle de déclarer. Simplement, je...

Elle haussa les épaules avec une évidente lassitude.

— J'avais envie de rentrer. M. Jones a l'air d'en avoir encore pour un moment. Je m'apprêtais à appeler un taxi.

— Surtout pas ! s'exclama Jim. Je te reconduis, avec ta permission. Depuis le temps que je rêve de t'emmener faire un tour !

Elle se mordit la lèvre.

— Jim...

— Je t'en prie, ne refuse pas, Dani, insista-t-il en posant une main sur son bras nu. Je sais, tu ne souhaites nouer de liens avec personne. Tu me l'as assez répété. Laisse-moi seulement te ramener chez toi.

Inquiète, elle jeta un coup d'œil par-dessus l'épaule du jeune homme, craignant de voir apparaître Ben.

— D'accord, acquiesça-t-elle, pressée. Je te remercie. Tu me déposes simplement.

Le sourire de Jim se fit victorieux.

— Allons avertir M. Jones de notre départ.

— Vas-y tout seul. Je t'attends dehors.

Jim tourna les talons, fit trois pas avant de revenir vers elle.

— Tu n'as vraiment pas l'air bien. Veux-tu que...

— Non, non, je t'assure. J'ai seulement eu trop chaud. Je ne supporte pas cet air étouffant.

— Et si M. Jones préférait que tu restes ?

— Aucun risque. Tu as remarqué comme Mme Wright l'a accaparé toute la soirée. S'il me fallait revenir, je me verrais dans l'obligation de faire une scène de jalousie à cette pauvre femme !

Sa laborieuse plaisanterie dérida le jeune homme qui s'éloigna le cœur léger.

— A tout de suite, Dani. Donne-moi cinq minutes. Je te retrouve sur le parking.

Elle le remercia d'un vague hochement de tête et s'enfuit au plus vite, loin du danger qui la menaçait.

Une fois dehors, elle respira mieux. L'obscurité sembla happer ses peurs et ses peines. La tempête de ses émotions s'apaisait. Décidément, elle n'était pas prête à rencontrer de nouveau Ben. Sans doute se contenterait-elle pour le rembourser de lui envoyer un chèque, ou de prier M. Jones de le lui transmettre ; qu'importait, elle y réfléchirait plus tard. En un instant pareil, elle se méfiait de toute décision hâtive qu'elle regretterait certainement plus tard. Elle se voyait incapable d'agir ou de penser raisonnablement.

Une brise tiède de décembre soufflait sur la ville, promettant une nuit douce et paisible. Dans les jardins de l'université, les arbustes et les massifs fleuris mêlaient délicieusement leurs multiples fragrances. Au bout de quelques minutes, la jeune femme se sentit plus calme. Appuyée contre la voiture de Jim, elle resta en contemplation, le visage légèrement levé vers le ciel et de velours étoilé.

— Tu m'attendais, Dani ?

Cette voix trop familière, la dernière qu'elle eût désiré entendre, lui parvint, aussi douce et veloutée que la nuit même. Elle crut d'abord à un rêve. Mais son cœur serré, ses sens en alerte, ses poings crispés l'avertirent que le danger était bien réel.

Lentement, elle se retourna. Ses paupières battirent sur ses yeux voilés par le chagrin et l'émotion.

— Ben, souffla-t-elle. Je... Non. J'attends Jim Sinclair qui doit me raccompagner.

— C'est moi qui t'emmène.

— Non ! s'écria-t-elle avec trop de force.

Se découvrir tellement à vif acheva de la rendre nerveuse.

— C'est-à-dire que... Je te remercie mais Jim va revenir d'une minute à l'autre. Il est allé prévenir M. Jones...

Sa voix mourut.

Ben était derrière elle. Il posa les mains sur ses épaules, l'obligea sans brusquerie à lui faire face.

Plongeant dans les siens ses yeux d'or et d'ambre, il secoua doucement la tête. Une étrange lassitude se lisait sur ses traits.

— N'as-tu pas compris qu'il était temps pour nous de cesser de courir ? Désormais, tu ne fuiras plus loin de moi.

Un sanglot ou un cri de panique monta dans la gorge de la jeune femme.

— Je ne te fuis pas, Ben. J'ai seulement été surprise en reconnaissant ta voix. Tu es bien la dernière personne que je m'attendais à rencontrer ce soir. J'ignorais que tu t'intéressais à la peinture. Tu viens d'arriver ? Je crains que les festivités ne prennent bientôt fin, il est tard. Beaucoup de gens sont déjà partis...

La pression des doigts de Ben sur ses épaules la fit taire. Son regard reflétait tout ce qu'elle éprouvait et s'efforçait si péniblement de dissimuler.

— Je te ramène chez toi.

D'un geste presque involontaire, il lui caressa le cou, là où sous la peau battait vivement une veine. Il alla jusqu'à effleurer le col de sa robe, à écarter légèrement le tissu pour découvrir de ses doigts tremblants la douceur de sa peau.

— Il est temps que nous parlions.

Cette affirmation la fit frémir.

— Non.

— Je t'en prie, Dani, ne refuse pas.

Encore une fois, ses mains semblèrent devancer sa volonté, ou la contrer. Bien qu'elle résistât à son étreinte, il attira soudain Danielle contre lui, serrant son corps frémissant et tendu.

Il l'avait saisie à la nuque, enfouissait contre son épaule le visage défait et livide. Son parfum d'homme, chaud, délicieux, lui fit tourner la tête. Elle percevait les battements saccadés, trop rapides de son cœur. Une minute, il la tint ainsi contre lui, sans bouger.

— Embrasse-moi, commanda-t-il soudain d'une voix rauque, trop rapide. Aime-moi, Dani. Je t'en supplie. Toi seule peux chasser le mal qui me dévore.

Tout à coup, le contrôle de ses gestes lui échappa aussi. Comme un fou, avide, fiévreux, il couvrit Danielle de baisers ravageurs. Ses joues, son cou, ses lèvres, ses yeux, ses tempes, devenaient un territoire qu'il avait à conquérir, qu'il devait faire sien, au risque de se perdre. Ses mains prenaient possession de la chevelure de la jeune femme. Un long frisson inextinguible partit de la nuque de Danielle, embrasa tout son dos, fourmilla dans ses reins. Par ses caresses, Ben la prenait, la possédait, la brûlait. Aucune parcelle d'elle-même n'échappait à ce feu.

Lui résister ? Elle n'en avait ni le désir ni la force. Le moindre effleurement de leurs lèvres les perdait, les offrait à l'autre, comme toujours.

Les mains tremblantes, amoureuses de la jeune femme s'égaraient elles aussi sur le torse solide, se glissaient entre les boutons de la chemise pour épouser la peau nue, éprouver au bout de leurs doigts, au creux de leur paume le plaisir des muscles puissants, frémissants.

Une fois encore, pareille à mille autres et pourtant toujours unique, le monde autour d'elle s'évanouit, se fondit dans le brouillard. Il n'y eut plus que Ben dans la nuit d'été étoilée, plus que la sensation de lui, de sa force, de son amour, avec son désir ardent, urgent, les gémissements sourds dans sa gorge, leurs deux corps dont les formes s'épousaient à la perfection, dans une tendre brutalité.

Les mains solides de l'homme étreignirent sa taille étroite, la brûlant, remontèrent plus doucement vers ses seins qu'elles possédèrent avec une fièvre égale. Si forte était leur caresse, si vivante, que Danielle se sentit comme nue, oubliant le tissu qui les séparait.

La bouche de Ben sur la sienne se fit joueuse, provocante, l'obligeant à quémander les baisers.

Le souffle court, il releva enfin la tête. Ses yeux étincelants de désir, de fièvre, emprisonnèrent ceux de la jeune femme. Elle s'y fondit, s'y perdit.

— Dani...

Deux adolescents passèrent près d'eux en bicyclettes et firent gaiement tinter leurs sonnettes. Le monde extérieur reprenait soudain ses droits. Quelqu'un s'éclaircit la gorge.

Violemment ramenée à la réalité, Danielle s'échappa des bras de celui qu'elle aimait, réajusta les plis de sa robe d'une main hâtive, maladroite, vérifia sans grand succès la bonne tenue de ses longs cheveux dont elle ignorait le grand désordre. Heureusement, la nuit cachait aux regards indiscrets sa rougeur et son trouble.

— Désolé de vous déranger, fit Jim avec sa nonchalance coutumière.

Elle murmura quelques mots inaudibles, qui d'ailleurs n'avaient peut-être pas de sens.

— Je la raccompagne, Jim, déclara Ben d'un ton sans appel.

Ses yeux n'avaient pas lâché ceux de la jeune femme.

— Mais... commença Jim.

— Pas question ! s'exclama-t-elle en réponse à l'affirmation autoritaire et choquante de Ben.

Comment avait-elle pu se laisser aller de la sorte, ravivant encore ses souffrances et celles de Ben. Elle n'avait pas le droit, elle ne devait pas. Face à l'homme qu'elle aimait, elle se retrouvait de nouveau sans défense, sans choix. Se servir de Jim lui répugnait mais elle n'entrevit pas d'autre issue de secours.

— Je rentre avec toi, Jim.

Les poings de Ben se serrèrent sous le coup de la rage, de l'impuissance.

— Je t'en prie, Dani !

Elle tourna vers lui un regard lourd de tout son amour. Elle ne voulait que rester, l'aimer, ne plus jamais fuir ou le laisser disparaître.

— Non, s'obligea-t-elle à répéter dans un murmure à peine audible.

Jim ouvrit la portière de sa voiture, côté passager. Elle s'installa à l'intérieur du véhicule, sans parvenir cependant à détacher son regard de Ben. Son cœur se serra à le découvrir si peiné, si perdu. Tout en elle se rebellait à l'idée de se séparer de lui mais elle avait décidé, dans un pénible sursaut de volonté, qu'il était temps de brider ses émotions, d'agir raisonnablement. Elle devait partir. C'était l'unique recours qu'elle entrevoyait pour se sauver elle-même de douleurs plus grandes encore que celles qu'elle endurait depuis tant d'années. Seule la séparation définitive pouvait les sauver l'un de l'autre. Jamais leur amour n'aurait une chance de s'accomplir. L'heure du bonheur n'avait pas sonné à l'horloge de leur destin, comme le prétendait M. Jones. Jamais leur temps ne viendrait. Ils l'avaient laissé filer sans le voir, autrefois. La vie s'était chargée de les séparer toujours davantage ; un jour peut-être leurs cœurs ne se reconnaîtraient-ils même plus. Pour conclure, asséner le coup fatal à ses douloureux états d'âme, elle pensa à la superbe femme en bleu qui accompagnait Ben ce soir. C'était vers elle qu'il devait retourner.

Jim fit vrombir le moteur de sa voiture et démarra. La nuit happa pour Danielle la silhouette de Ben, debout, les bras ballants, désemparé. La jeune femme s'efforça de chasser immédiatement cette image de son esprit, de son cœur. Elle refusait de le penser vulnérable, meurtri, elle refusait d'avoir assisté de la sorte à sa défaite, de la lui avoir fait subir. Pour la millième fois, elle se répéta qu'elle devait le quitter, qu'elle n'avait pas le choix.

De chaudes larmes silencieuses coulèrent sur ses joues.

Jim conduisait en silence, sans heurt. Enfin, il tourna dans une ruelle et se gara sous un odorant eucalyptus. Ce fut sans cesser de fixer la nuit à travers le pare-brise qu'il demanda :

— As-tu envie de te confier à ton grand frère Jim ?

Danielle ne put répondre. Elle venait d'éclater en sanglots.

Jim l'attira contre lui, referma gentiment les bras sur elle, la laissant cacher son visage ravagé contre son torse.

— Allons, allons, murmura-t-il amicalement. Tu sais, je me suis souvent demandé qui était mon rival. Il devait bien y avoir quelqu'un. Tu étais si lointaine toujours. J'aurais dû comprendre qu'il s'agissait de Ben Harper.

Elle voulut lui demander comment il le savait mais les mots ne franchirent pas ses lèvres.

— J'ai vu le portrait de lui que tu as fait... expliqua-t-il en lui caressant le dos pour la calmer. Voilà pourquoi Ben ne mettait plus les pieds chez M. Jones. Vous vous étiez disputés ?

Incapable encore de répondre, elle sanglota de plus belle.

— Avant, Ben était souvent chez son beau-père, reprit Jim après s'être tu longtemps. Avec Libby. C'était curieux, M. Jones n'appelait jamais sa fille par son diminutif, comme nous tous. Il disait toujours « Elisabeth », comme l'on s'adresse à une reine. Ben

138

aussi la considérait comme telle. Il la traitait avec tous les égards possibles ; M. Jones semblait lui en être infiniment reconnaissant. Pour ma part, je n'ai jamais compris comment Ben et Libby s'étaient unis l'un à l'autre. Je ne trouvais pas qu'ils allaient bien ensemble.

— S'il te plaît... Je préfère ne pas entendre cela.

— Je ne dénigre personne. Et je ne dis rien que la plupart des gens n'aient dit auparavant. Ce ne sont pas non plus des ragots, c'était une évidence pour tous. Je te raconte tout cela parce que.. lorsque je t'ai vue dans les bras de Ben, j'ai trouvé... Enfin, vous étiez tellement bien ensemble, tellement... évidents. Il n'en a jamais été ainsi entre Libby et lui.

Jim eut un sourire un peu amer.

— Je ne sais pas ce qu'il m'arrive, je devrais plaider ma cause et non celle de Ben. Combien de fois t'ai-je demandé de m'épouser ? J'espère que je ne t'ai pas trop importunée.

Danielle se serra davantage contre lui, honteuse d'exploiter l'amitié franche du garçon mais incapable de se soustraire à ces bras qui la rassuraient, la calmaient. Une fois par mois au moins, Jim avait parlé mariage, généralement devant M. Jones. D'abord, elle avait cru à une plaisanterie entre bons camarades ; peu à peu, elle avait compris qu'il était sérieux. Elle l'aimait beaucoup, d'une affection toute fraternelle, trop peu pour envisager de s'unir à lui. C'était un garçon solide, charmant, ouvert, chaleureux. Avec lui, elle le savait, elle aurait goûté la paix, l'harmonie, un bonheur calme sans histoires, mais jamais elle n'avait songé à franchir ce pas. C'eût été déloyal, malhonnête à l'égard de Jim. Ben aurait toujours habité son cœur. Chaque instant de leur vie de couple eût été une trahison.

— Tu l'aimes vraiment, n'est-ce pas ? s'enquit doucement le jeune homme.

— Non !

Peut-être, à force de le répéter, finirait-elle par croire à son mensonge.

La bouche de Jim se plissa en une moue amère, il poussa un soupir de défaite.

— Certes, ce n'est pas facile d'aimer véritablement. La route n'est que pièges, heurts.

Avec son tact habituel, il changea bientôt de sujet, abandonna sa gravité pour sourire.

— Veux-tu venir prendre un verre avec moi quelque part ? Tu te détendrais.

— Oh ! Jim, je ne suis pas une bonne compagnie pour toi ce soir. Ramène-moi à la maison.

— D'accord, répondit-il avec une nouvelle tristesse au fond des yeux. S'il y a quoi que ce soit que je puisse pour toi, n'hésite pas à m'appeler, Dani.

Elle avait quitté ses bras pour se réinstaller sur le siège.

— Merci, Jim. Je ne mérite pas un ami tel que toi.

— Bien sûr que si. Ne sommes-nous pas de bons copains ? ajouta-t-il avec une gouaille un peu contrainte.

— Copains, répéta-t-elle doucement, lointaine déjà.

Son esprit et son cœur étaient retournés vers Ben.

10

Le clair de lune éclaboussait la pelouse devant la maison. Danielle se retourna pour voir partir la voiture de Jim et resta debout au milieu du chemin, à humer les fragrances de la douce nuit australienne. Grâce à ses soins, le jardin de M. Jones avait retrouvé sa splendeur d'antan. Négligé avant l'arrivée de la jeune femme, il offrait aujourd'hui profusion de fleurs colorées et parfumées.

La jeune femme finit par trouver un semblant de calme, de paix, alors elle pénétra dans la maison. Dans l'entrée, sur une petite table basse, une lampe était restée allumée, qui l'accueillit de sa douce lumière. La demeure de M. Jones était à présent agréable dans ses moindres détails. Fleurs, napperons, bibelots, livres, agencement plus recherché des meubles rares qui prenaient ainsi toute leur valeur... Danielle éprouvait une indéniable fierté à voir ce lieu, triste autrefois, métamorphosé par ses soins. Tout respirait la sérénité. L'atmosphère était semblable à l'âme du maître des lieux, tel que Danielle l'avait vu le plus souvent : assis dans un fauteuil, souriant, sa pipe à la bouche, un livre sur les genoux parfois, et ses étudiants groupés autour de lui, assis sur les tapis ou occupant tous les sièges disponibles.

Jamais elle ne regretterait le travail qu'elle avait accompli pour rendre sa beauté à cette maison, même si l'on n'avait pas eu réellement besoin de sa présence. Mais maintenant, il était temps de partir. Cette année auprès du vieil homme n'aurait été qu'une pause, une halte dans ce qui allait redevenir son quotidien.

Sa gorge se serra à l'idée de l'inévitable départ, de la solitude douloureuse qui l'attendait, des chagrins décuplés, toujours plus difficiles à chasser.

Elle soupira, refusant de s'attendrir sur son sort. Ben aussi l'obsédait encore, autant que la façon brutale avec laquelle elle l'avait quitté ce soir. Elle se défendit d'y songer davantage. Il lui restait cependant le goût doux-amer de leur passion, la fièvre inouïe de leurs corps heureux, l'empreinte de leurs âmes dans le moindre regard échangé, le moindre attouchement. Oh! Qui essayait-elle de tromper? Ils étaient faits l'un pour l'autre. Pourquoi continuer à le nier en voulant y mettre un terme?

Trop tard, trop tard. La chance était venue, repartie. Danielle éprouvait depuis des années le vertige du joueur qui a tout perdu en une nuit, se retrouve à l'aube privé de ses biens, de sa vie même. Pour alimenter son désespoir, il y avait eu Libby, aujourd'hui une autre femme la remplaçait; même si celle-ci disparaissait demain, il y en aurait une autre, puis une autre. Sa place dans la vie de Ben, elle l'avait irrémédiablement perdue, depuis bien longtemps.

Une fois dans sa chambre, elle s'efforça de trouver le sommeil. Il la fuyait. Elle prit un bain, resta une heure dans la baignoire à pleurer, jusqu'à ce que ses yeux la brûlent insupportablement, jusqu'à ce qu'elle ait froid dans l'eau à peine tiède. Elle se sécha et enfila une longue chemise de nuit en coton. Quelques minutes, elle arpenta sa chambre, se demandant où aller, que faire. Il n'existait pas de place pour elle. Dans les bras de Ben seulement elle avait connu l'absolu du bonheur.

Inutile de chercher à dormir. Alors, elle jeta sur ses épaules une fine robe de chambre et sortit, pieds nus, pour se diriger vers l'atelier. Peindre était son unique recours, le seul qui lui donnât la force de vivre.

Un parfait silence régnait en haut des marches quand elle arriva au grenier. Même son pas régulier sur le bois du parquet semblait produire un déplacement d'air à peine perceptible.

Elle ralentit, hésita avant de pousser la porte du sanctuaire de l'art, avec ses secrets, ses odeurs d'huile de lin, de peinture, ses ombres et lumières toujours changeantes. Curieusement, le cœur de la jeune femme s'affola, sa respiration se fit plus courte.

Quand d'une main tremblante elle écarta le battant, elle aperçut le doux éclairage d'une lampe. Comme si quelqu'un l'attendait ici. Un frisson glacé la parcourut. Un instant, elle n'osa pas avancer, à peine respirer. Ses jambes menaçaient de ne plus la porter.

Plus terrible que tout était sans doute l'absence de tout bruit. Elle n'avait dans les oreilles que le battement de sa propre vie.

Enfin, elle sut qu'elle n'était pas seule.

Le portrait de Libby avait été bougé. On l'avait enlevé du mur contre lequel il était ordinairement appuyé pour le poser sur un chevalet en plein milieu de l'immense pièce. Le regard du portrait frappa Danielle de plein fouet, sans reproche, comme un appel qui l'invitait à se rapprocher. Alors, elle découvrit Ben.

Assis sur une chaise, face au portrait, il tourna lentement la tête vers la nouvelle venue et la fixa droit dans les yeux.

Elle fut cependant incapable de déchiffrer ce regard, ne décelant que la rigidité de son beau visage, la ligne inflexible de ses lèvres, la lumière dorée que déga-geaient ses yeux.

Elle faillit hurler, éclater en sanglots.

— Va-t-en, Ben, dit-elle, suppliante.

L'autre prière, elle la garda pour elle : « Laisse-moi. Il serait temps enfin que je commence à t'oublier, que meure notre amour. »

— Je n'irai nulle part tant que nous n'aurons pas parlé, rétorqua-t-il très bas.

Lentement, il se leva de son siège. Sa veste était ouverte, sa cravate défaite, sa chemise découvrait à moitié son torse.

— Je te l'ai dit tout à l'heure, tu as fini de me fuir.

— Nous n'avons pas besoin de parler.

— Je crois que si.

Jamais elle ne l'avait vu si pâle, si rigide, avec pour tout indice de vie un imperceptible tremblement au coin des lèvres. Les yeux de Danielle, voilés par les larmes qui menaçaient, semblaient deux émeraudes en fusion.

Elle secoua la tête, lentement.

A l'instant où Ben tendait la main vers elle, elle marqua un recul instinctif, violent. S'il la touchait, s'il l'effleurait seulement, elle était perdue.

— Je t'aime, Dani. Je t'ai toujours aimée.

Le regard de la jeune femme s'illumina d'un nouvel éclat. Involontairement, elle se tourna vers le portrait de Libby. Ben eut un geste las, impuissant.

— J'aimais aussi Libby, mais d'une autre façon. Peux-tu le comprendre ?

De nouveau, elle secoua la tête. Ses lèvres trem-blantes semblaient à présent retenir l'expression d'une rage insultante. M. Jones lui aussi avait tenté de lui expliquer la complexité des sentiments de Ben. De tout son être elle se refusait à comprendre.

— Non ! laissa-t-elle enfin fuser.

Une expression douloureuse se peignit sur le beau visage de Ben. Il aspira longuement avant de reprendre la parole :

— Tu m'as quitté il y a sept ans. Je pensais que tu avais cessé de m'aimer, que tu te moquais désormais de moi. Je me suis retrouvé démuni de tout, comme si tu avais emporté avec toi toute la beauté et la joie de la vie. Le monde, l'existence ne m'apparaissaient plus que comme un tunnel glacé.

Malgré lui, sa voix se mit à trembler, se brisa.

— J'étais seul, abandonné, et j'avais peur. Et je me haïssais, Dani, de t'avoir lassée, d'être devenu encombrant pour toi...

Avec un cri de douleur irrépressible, elle se détourna vivement de lui, enfouit son visage dans ses mains.

— Non, je t'en prie, murmura-t-il.

S'approchant d'elle, il l'enlaça, les yeux voilés par l'émotion. Danielle n'y prit pas garde, tout à son affreux remords. Comment avait-elle pu le blesser de la sorte ? Comment ?

— Dani, reprit-il quand les sanglots de la jeune femme se furent un peu calmés, je ne te raconte pas cela pour te faire mal, te rendre coupable, simplement pour t'expliquer dans quel état j'étais lorsque j'ai rencontré Libby.

Il la gardait dans la chaleur rassurante et tendre de ses bras, reposant sa joue sur sa chevelure. Danielle le sentait trembler contre elle. Quand elle osa enfin lever les yeux vers lui, elle ne put lui offrir qu'un regard de passion, d'angoisse et de larmes mêlées.

— Elle a été parfaite pour moi. A son contact, je suis redevenu quelqu'un, un être vivant.

Des lèvres agitées de Danielle, de ses sanglots

contenus à grand peine, ne sortit qu'un cri torturé, un nom.

— Ben !

— Elle n'a jamais rien exigé de moi, reprit-il ; elle se réjouissait tout simplement d'être à mes côtés. Nous travaillions dans la même entreprise, je la voyais chaque jour. Notre rapprochement fut presque naturel. Je l'invitai un soir à dîner, puis elle me fit connaître ses parents. Au bout de quelque temps, je me mis à penser à elle comme on aspire au calme après la tempête.

Cette comparaison fit frémir Danielle. Oui, elle avait été tempête, ravage dans la vie de Ben ; un cyclone destructeur. Libby avait offert à Ben le bonheur paisible qu'elle-même n'avait su lui offrir.

Incapable de retenir son geste, Ben lui caressa doucement le visage, jusqu'à la courbe de son cou. La peau frémissait au passage de ses doigts. Alors, il inclina la tête, et déposa un baiser sur son front, comme s'il craignait soudain qu'elle disparaisse et qu'il n'étreigne plus qu'un fantôme.

Livrée à d'incroyables émotions, éperdue de douleur, Danielle restait les bras ballants contre lui. Enfin, elle s'accrocha à sa taille, comme si elle avait peur, elle aussi, de s'évanouir.

— Ben ! Ben ! Ben ! hurla-t-elle en un long cri étouffé, le visage enfoui contre son torse. Je te demande de me pardonner. Je regrette.

— Je n'ai rien à te pardonner, tu n'as rien à regretter.

— Si. J'ai haï Libby toutes ces années. Elle était celle qu'il te fallait et je la détestais.

— Je comprends, fit-il dans un soupir. Si tu l'avais connue, tu l'aurais aimée.

— Qu'importe ! Je n'aurais pas voulu l'aimer ! Je ne supportais pas l'idée que tu sois à elle. Tu étais mien, ma moitié, moi-même. Je voulais être ta femme, vivre avec toi, avoir des enfants de toi. Nous nous appartenions l'un l'autre. Nous en aurions eu beaucoup. Ils t'auraient ressemblé. Imagines-tu ce que j'ai éprouvé en apprenant ton mariage ? Une autre femme a eu le droit de t'aimer, de tout partager avec toi, de tout savoir de toi : ta personnalité, ta passion, ta tendresse, ta sensibilité, ta bonté, je la haïssais pour tout cela. Et toi aussi, je t'ai détesté.

Etait-elle légitime, illégitime sa plaidoirie ? En tout cas, crue et absolument sincère. Violente aussi parce qu'elle semblait accuser Ben de trahison quand elle seule en était coupable. Aussi s'étonna-t-elle de le voir, à travers ses larmes, sourire avec une infinie douceur.

— Je comprends, Dani, crois-moi. J'ai éprouvé exactement les mêmes sentiments à ton égard. Je t'aimais avec la même force. Mais, souviens-toi, quand tu es partie, je n'ai pas essayé de te rattraper.

Le silence qu'il marqua la fit frémir. Effectivement, toutes ces années, elle l'avait oublié mais, à se remémorer leur rupture, elle se souvint combien Ben avait paru peu surpris. Il paraissait s'être toujours attendu à ce qu'elle lui annonce la fin de leur amour. Il l'acceptait calmement, résigné, presque... soulagé.

— Non, murmura-t-il, parce qu'il savait tout lire sur le visage aimé. Je t'aimais et je te voulais alors. Je t'aime et je te veux aujourd'hui.

Elle tenta de se dégager de ses bras, il ne la laissa pas s'enfuir. Il la gardait contre lui, le visage enfoui dans ses cheux.

— Tous deux nous avons commis une erreur. Nous étions trop jeunes. Et puis il y avait ta mère...

— Elle a cru agir pour le mieux.

— Je sais... Ma fierté, mon orgueil m'ont fait renoncer à combattre. Tu l'avais choisie elle, contre moi. Si tu ne me jugeais pas assez bien pour toi, je n'allais pas tenter de te convaincre. Alors, je t'ai laissée partir.

— Tu savais ? questionna-t-elle en rougissant.

— La raison de ta fuite ? Bien sûr. Ta mère nous considérait moi et ma famille comme des moins que rien. Longtemps, je l'ai détestée pour son mépris, toi aussi pour l'avoir écoutée. Je ruminais déjà ma vengeance. Je l'ai attendue des années. Parfois c'était ce qui me faisait tenir debout. Et puis l'occasion s'est présentée. Ton père est venu à moi sur les genoux, implorant mon aide. Je tenais ma revanche ! Ensuite, fit-il avec une moue douloureuse, il y eut Noël, tu étais là, une serveuse agenouillée à mes pieds. Tout a changé. Je ne souhaitais plus la vengeance, je n'avais pas assez de haine pour la mener à son terme. Je devais aider tes parents, non les blesser. J'ai choisi d'aider ton père à se réhabiliter. Oh ! Ma Dani ! Pourtant, je t'ai encore fait mal. Etais-je fou !

Tout son corps se contracta contre celui de la jeune femme qu'il étreignait jusqu'à la broyer. La force de sa peine, de ses remords, autant que celle de son désir, de son amour submergèrent Danielle. Sa tête éclata, comme son cœur, son corps. Ben était beau, vulnérable, et il l'aimait. Leurs corps étaient si proches qu'elle sentait un seul cœur battre, beaucoup trop vite, une seule respiration sourde dans une gorge brûlée, nouée. De délicieux et avides baisers emflammaient ses joues, sont front, ses tempes.

Un désir fou l'envahit. Elle voulait le toucher, le caresser, le posséder en toute liberté. Fiévreusement, elle défit les derniers boutons de sa chemise.

— Je t'aime, Dani. Je t'aime, j'ai besoin de toi. Je suis incomplet sans toi, je t'en supplie !

Ses mains s'aventurèrent sous la légère robe de

chambre de Danielle, la lui ôtèrent. Ce geste parut le troubler un instant, l'arrêter. Il s'éloigna un peu de la jeune femme pour la regarder.

Elle ne portait plus que la longue chemise de nuit de coton blanc. Un petit lacet enfantin en fermait le col. Ses longs cheveux noirs tombaient en cascade sur ses épaules. Ses yeux plus verts que jamais brillaient d'une étrange lumière. Elle était pieds nus.

Toute couleur déserta le visage de Ben. Il gardait les yeux fixés sur les lèvres entrouvertes de celle qu'il aimait. Jamais il ne l'avait vue si belle.

— Tu as l'air d'une jeune mariée. Oh ! Dani, tu m'as vraiment attendu toutes ces années ? Tu vas être ma femme, mon épouse, mon amante maintenant ? Tu me laisseras t'aimer, prendre soin de toi et vivre à tes côtés jusqu'à la fin de nos jours ?

Si elle le voulait ? Tout en elle hurlait « oui ». Là, dans ses bras, tout redevenait possible, tout s'ouvrait. Même... Elle détourna la tête.

D'un doigt gentil, Ben lui prit le menton, la ramena vers lui.

— Regarde-moi.

Elle leva sur lui des yeux voilés d'émotion.

— Je ne pensais pas t'entendre un jour prononcer ces mots, Ben.

— J'ai attendu bien longtemps avant de te les dire.

De nouveau, elle ne put s'empêcher de songer au passé, à tout ce temps perdu pour eux. Elle pensa à Libby, au fils qu'elle avait eu de Ben et, soudain, vit la femme en bleu qu'elle avait aperçu plus tôt dans la soirée. Alors revint tout ce qui la séparait de Ben : un univers.

— Je ne peux pas t'épouser, Ben.

Rien n'aurait pu davantage le stupéfier.

— Pourquoi ? Tu m'aimes, je le sais. Comme tu sais

ma passion pour toi, ajouta-t-il en la pressant davantage contre lui.

— Il est trop tard, murmura-t-elle contre son épaule, si bas qu'il eut peine à l'entendre. Nous ne sommes plus les mêmes. Tu es riche et...

— Oui, je suis riche ! s'écria-t-il en lui prenant ses mains pour mieux la convaincre. Mais je n'ai pas changé. Je suis le même qu'autrefois, comme tu seras la même plus tard si tes tableaux se vendent une fortune. Tu ne t'en rends pas compte ?

Elle aurait voulu le croire, mais son orgueil se rebellait encore.

— Tu te sens responsable de moi, obligé de veiller sur moi.

— Depuis toujours. N'est-ce pas cela aussi aimer ?

— Mais nous ne sommes pas seuls. Il y a ton fils et puis... et...

Ben se raidit.

— Et ?

— Cette femme qui t'accompagnait ce soir, avoua Danielle d'un ton âpre. Elle est plus belle que moi, vous allez très bien ensemble.

L'expression de Ben trahit le plus parfait étonnement.

— Quelle femme ?

— A l'exposition de l'université.

— Je n'étais avec personne, fit-il, stupéfait.

— Tu es entré avec elle.

Le regard d'or se fit plus aigu.

— Tu m'as vu arriver ? Sur le parking, tu as feint la surprise. J'étais seul, Dani. Qui est donc cette femme dont tu parles ?

Humiliée, de plus en plus mal à l'aise, ce fut d'une voix tremblante qu'elle expliqua :

— Celle en robe bleue avec un grand décolleté.

Ben parut respirer de nouveau. Un sourire se dessina sur ses lèvres.

— Ah! Oui, celle-là, dit-il en retenant un rire.

Elle aurait aimé le gifler. Il se moquait d'elle.

— Oui, celle-là, répéta-t-elle, sarcastique.

— Très belle, n'est-ce pas?

Danielle réprima un cri, de rage, de peine. Comment osait-il? Soudain, exultant, avec une exclamation enfantine, il la souleva dans ses bras.

— Tu es jalouse, ma Dani! Oh! Tu me ravis! Tu n'es donc pas indifférente...

— Bien sûr que non. Pourquoi perds-tu ton temps avec moi, Ben? Il y a tant de jolies femmes.

— Qui parle de perdre son temps? Toi seule existes pour moi. Je t'aime à jamais. Je n'étais pas avec cette femme ce soir. Nous sommes seulement arrivés au même moment. En galant homme, je l'ai laissée entrer la première. Elle m'a souri, m'a remercié, et je l'ai suivie des yeux. Je suis un homme, sais-tu? J'ignore d'ailleurs qui elle était. Je ne lui ai pas parlé, j'avais hâte de te trouver. Rupert m'avait conseillé de venir à cette exposition si je voulais découvrir tes sentiments réels pour moi. J'ai vu, Dani. Ce portrait m'a dit que je ne t'avais pas perdue. Quel cadeau tu m'as fait là! Tu es merveilleuse! Et tu es toujours mienne, tu as toujours été mienne. Comme je suis tien.

Partagée entre l'ivresse du bonheur incroyable qui s'offrait à elle et une incrédulité poignante, trop ancrée en elle pour s'en arracher aisément, Danielle trahissait le pire désarroi.

— Mon fils est-il un problème pour toi? demanda doucement Ben.

L'image du nouveau-né dans la couveuse passa devant les yeux de la jeune femme. Il devait avoir un an et demi à présent.

— Je suis plusieurs fois allée le voir à l'hôpital et je...
Je souhaitais qu'il soit à nous.

— Il est à nous, mon amour, répondit Ben avec un
heureux soulagement. Libby nous l'a confié, ajouta-t-il
avec un sourire en direction du portrait. Elle serait
heureuse si elle pouvait nous voir. Je ne me suis pas
beaucoup occupé de lui ; aujourd'hui il a besoin de nous
deux.

Des larmes de honte jaillirent des yeux de Danielle.

— Oh ! Libby, pardonnez-moi, murmura-t-elle à
l'adresse du tableau.

— Si tu en as vraiment besoin, elle te pardonne.
Cela lui ressemble, dit-il en serrant de nouveau la jeune
femme dans ses bras. Il a fallu un an à Rupert pour
m'en convaincre.

— Tu parles de *mon* M. Jones ?

— Le tien, mon amour. Si tu savais ce qu'il dit de
toi ! Tu es une autre fille pour lui. Quand j'ai cru avoir
tout détruit après notre rencontre dans le parc, il m'a
exhorté à la patience. Je doutais, je trépignais parfois.
Il avait pourtant raison, Dani. Le temps de nous
retrouver est venu.

Depuis quelques instants, une petite flamme d'espoir, vacillante mais courageuse, brûlait dans le cœur
de Danielle.

— Toi, Ben, me pardonnes-tu ?

Les traits de Ben exprimèrent la plus profonde
tendresse. De la main, il essuya les larmes sur le visage
de la jeune femme, repoussa ses cheveux vers l'arrière,
ému à la vue du moindre détail de son visage. La
rougeur sous ses yeux qui avaient trop pleuré, ses lèvres
brillantes entrouvertes.

— Seulement si tu promets de m'épouser.

Leurs regards demeuraient rivés l'un à l'autre dans
une tension extrême quand elle leva la main pour

caresser la bouche de Ben, geste si souvent répété sur la toile morte du portrait. Elle avait alors rêvé de l'entendre prononcer ces mots, de l'avoir en chair et en os devant elle. A présent, il était là. Il la touchait, l'embrassait, l'étreignait, il la voulait pour femme !

A tracer ainsi la ligne superbe de ses lèvres, elle se délecta de la violence du désir qu'il trahissait, le souffle court. Ses mains parcoururent innocemment le corps de Ben, éveillant en elle une faim qu'elle n'avait encore jamais éprouvée. Peut-être parce que plus rien ne leur faisait obstacle, peut-être parce que des années de désespoir décuplaient aujourd'hui tous les espoirs.

Ben était là. Rien ni personne ne se dressait entre eux. Ni mère abusive. Ni richesse ou pauvreté. Ni malentendu. Ni épouse. Ni orgueil ou fierté. Rien.

— Oh ! Ben, répondit-elle d'une voix étranglée, je t'aime tant. Et je veux t'épouser comme jamais de ma vie je n'ai souhaité quoi que ce soit.

Ben tourna les yeux vers le portrait de Libby sur le chevalet. Il lui sembla voir sur les lèvres du visage peint un sourire qu'il n'y avait jamais remarqué. Il revint vers Danielle.

— Je t'aime.

Alors, la gentillesse, la douceur cédèrent la place à la violence de sa passion. Il avait trop attendu. Il prit ses lèvre en un baiser farouche, sauvage. Il murmurait d'incohérentes syllabes, gémissait de plaisir et de joie.

Sa faim trouva en Danielle un écho total. Son désir elle le faisait sien, ses paroles, ses cris, son odeur, la moindre sensation de leurs corps mêlés trouvaient en elle leur réponses, dans une incessante joute passionnelle. Ses mains, ses lèvres, chaque parcelle de sa peau se faisaient caresse, tout timidité envolée. Cambrée contre lui, emplie d'un désir presque douloureux, elle n'aspirait qu'à l'union totale et parfaite de leurs deux corps.

Rien, pas même l'imagination la plus vive, ne l'avait préparée à l'acuité des sensations, à l'étonnante force du plaisir. A la brûlante insistance des caresses de Ben, son ardeur croissait. Elle fut agitée d'un tremblement incontrôlable quand les mains de l'homme remontèrent sous sa chemise de nuit vers ses hanches, ses cuisses, son ventre. Ses seins se durcissaient sous les caresses nouvelles.

— Tu me rends fou, sais-tu? fit Ben d'une voix rauque, avant de reprendre sa bouche.

Encouragées par ses mots d'amour, ses prières, les mains de Danielle s'aventuraient vers ce corps d'homme qu'elle aimait. Elle s'arqua contre lui, suppliante.

— Oh! Ben, Ben! cria-t-elle. Aime-moi! Tout de suite!

Plus rien ne la retenait. Ni bonne ou mauvaise conscience, ni folie ou raison. Tout à la certitude merveilleuse de la joie qu'elle allait connaître, de l'acuité de cette vraie vie qu'elle devinait possible seulement dans les bras de celui qu'elle aimait, elle ne souhaita plus que leur union absolue, comme déjà s'étaient liés leurs esprits, leurs cœurs, leurs âmes.

Ben cependant gardait encore un minimum de retenue. Avec effort, il écarta légèrement la jeune femme de lui. Ses yeux n'avaient rien perdu du désir qui les illuminait. Il eut un vague sourire.

— Pas ici, mon amour. Pas maintenant. Dans notre chambre quand nous serons mari et femme.

Atterrée, elle le dévisagea sans pouvoir articuler un mot. Non, il n'avait pas le droit de l'avoir rendue folle de désir pour ne pas la combler!

— Rupert doit d'ailleurs nous attendre, ajouta-t-il d'un ton très doux.

— Rupert ? répéta-t-elle.

Alors seulement, elle se souvint du lieu où elle était, de l'heure avancée de la nuit.

Le maître de maison était certainement rentré, même si elle ne l'avait pas entendu. Une rougeur violente envahit ses joues.

A quoi pensait-elle ?

Faire l'amour avec Ben, ici dans cet atelier, alors que Rupert arpentait la maison ! L'indécence de la situation, le remords de s'être égarée acheva de la couvrir de honte.

Dieu merci, Ben avait gardé un semblant de sang-froid. Elle tenta d'esquisser un sourire.

— Tu ne trouves pas étrange qu'il ne soit pas encore rentré à une heure aussi tardive ? questionna Ben avec, derrière sa feinte distraction, un malicieux regard.

Elle ne comprenait plus rien. N'avait-il pas annoncé une minute plus tôt que M. Jones les attendait ? S'il n'était pas dans la maison...

Les mains de Ben reprirent vie sur son dos, la caressant avec force, comme s'il essayait de lui enlever son désarroi. Ses doigts ravivaient de plus belle un désir bien mal étouffé.

Elle voulait qu'il cesse.

Elle voulait qu'il continue, toujours.

Devinant encore ses pensées chaotiques, il laissa échapper un rire très tendre.

— Rupert a un ami pasteur qui est prêt à nous unir cette nuit même.

Danielle n'en pouvait plus. L'annonce de cette nouvelle eut raison de ses nerfs tendus à craquer. Elle éclata en sanglots. De joie.

Ben la reprit contre lui, la berça avec tout son amour.

— Il n'habite pas très loin d'ici. Rupert est chez lui en ce moment même. Ils sont tous deux insomniaques ; de vieilles chouettes, m'ont-ils assuré ! Ils ont promis de nous attendre le temps qu'il faudrait. J'ai la licence depuis plusieurs jours déjà. Il ne me manquait que toi. Cela t'est égal si notre mariage a lieu dans la plus stricte intimité ? Ou préfères-tu attendre pour avoir une véritable cérémonie, avec des invités, nos familles, les grandes orgues ?

— Je n'ai jamais souhaité la présence que d'un être à mon mariage : toi. Toi seul, Ben, répondit-elle d'une voix assourdie par l'émotion.

Ben la serra avec force, l'embrassa à perdre haleine. Plus tard, il consulta sa montre.

— Alors, avons-nous assez fait attendre Rupert et son ami ?

Un radieux sourire illumina le visage de Danielle, métamorphosée déjà par le bonheur qu'elle connaissait seulement depuis quelques minutes mais qu'elle savait éternel.

— Etiez-vous donc tellement sûr de moi, M. Jones et toi ?

— Sûrs de rien, Dani. Seulement déterminés. Même si cela avait dû me prendre la nuit entière, je ne serais pas sorti de cette maison sans toi. Tu es mienne. Rupert l'avait compris en te voyant peindre mon portrait. Dans quelques instants, notre appartenance mutuelle sera des plus légales. Alors jamais, plus jamais tu ne me quitteras.

— Jamais je n'en aurai l'envie.

Elle se lova contre lui, amoureuse, paisible.

Après des années de haute mer, de tempêtes, le navire revenait au port.

Collection Harlequin

Recevez chez vous 6 nouveaux livres chaque mois—et les 4 premiers sont gratuits!

En vous abonnant à la Collection Harlequin, vous êtes assurée de ne manquer aucun nouveau titre! Les 4 premiers sont gratuits—et nous vous enverrons, chaque mois suivant, six nouveaux romans d'amour.
Mais vous ne vous engagez à rien: vous pouvez annuler votre abonnement à tout moment, quel que soit le nombre de volumes que vous aurez achetés. Et, même si vous n'en achetez pas un seul, vous pourrez conserver vos 4 livres gratuits!

Collection Harlequin
CHIMERES EN SIERRA LEONE
Kay Thorpe

Bon d'abonnement

Envoyez à: Service des Lectrices Harlequin
B.P. 603, Fort Erie, Ontario L2A 5X3

OUI, veuillez m'envoyer *gratuitement* mes quatre romans de la COLLECTION HARLEQUIN. Veuillez aussi prendre note de mon abonnement aux 6 nouveaux romans de la COLLECTION HARLEQUIN que vous publierez chaque mois. Je recevrai tous les mois 6 nouveaux romans d'amour, au bas prix de 1,75$ chacun — (soit 10,50$ par mois), sans frais de port ou de manutention.
Je pourrai annuler mon abonnement à tout moment, quel que soit le nombre de livres que j'aurai achetés. Quoi qu'il arrive, je pourrai garder mes 4 premiers romans de la COLLECTION HARLEQUIN tout à fait GRATUITEMENT, sans aucune obligation.
Cette offre n'est pas valable pour les personnes déjà abonnées.

Nos prix peuvent être modifiés sans préavis.   366-BPF-BP7S

Nom	(en MAJUSCULES, s.v.p.)	
Adresse		App.
Ville	Prov.	Code postal

COLL-SUB-1WRRR

concours *Harlequin*

Preuve d'achat

Vous pourriez partir pour le sud et vivre une aventure inoubliable sur les plages de la mer des Caraïbes.

Participez au concours "Ivresse Exotique" et courez la chance de gagner un voyage d'une semaine pour deux personnes avec l'Agence de Voyage Viau, hébergement et transport inclus, à Cartagène en Colombie, la toute nouvelle destination à la mode...là où l'exotisme est ivresse et le charme, mystère.

Aussi, vous pourriez gagner l'un des 150 parfums à bille *Ivresse*...une fragrance envoûtante, une sensation de fraîcheur sensuelle qui séduit en douceur, le jour comme la nuit...

Date limite du concours: 15 mai 1987 à minuit. Tirage: 18 mai 1987 à midi.

Pour participer: 1. Remplir le bon de participation ci-dessous. **2.** Joindre 3 preuves d'achat Harlequin authentiques ou reproduites non mécaniquement. **3.** Envoyer le bon de participation et les preuves d'achat dans une enveloppe suffisamment affranchie à: **Concours "Ivresse Exotique"**, B.P. 710, Succursale "H", Montréal, QC H3H 2M6.

Bon de participation:

Nom_____

Adresse_____

Ville_____Province_____

Code postal_____Téléphone_____

Règlements du concours disponibles:
Natcom. 1420, rue Sherbrooke ouest, Montréal (Québec) H3G 1K5　　　BPA - FR SWEEP I

"Ivresse Exotique"

 TOURS MONT·ROYAL Harlequin

BPA - FR SWEEP-2

Achevé d'imprimer en décembre 1986
sur les presses de l'Imprimerie Bussière
à Saint-Amand (Cher)

— N° d'imprimeur : 2726. —
— N° d'éditeur : 1397. —
Dépôt légal : janvier 1987.

Imprimé en France